闘魂溢れる革共同政治集会を実現（2022年12月４日、松戸市民会館）

革マ 更なる飛躍を

「安保三文書の閣議決定阻止！」全学連が首相官邸に怒りの拳（12月15日）

戦争転変革命之圖
資本主義のおわりだな～
戦争の時代を革命の時代へ！
反帝・反スタで世界をひっくり返せ！
人類運命共同体
トマホークミサイル
SAMSUNG
経中
米安
TSMC
新しい資本主義
増税
共青団零
23春闘勝利！
中国不要皇帝 习近平下台！
反帝国主義 反スターリン主義 革マル派
反戦
全学連
Ми розбимо російських військ!
Russian people, Down with Putin!
全世界人民团结起来 反对斯大林主义者！
ビューゥ
ビューゥ
野党共闘
JCP
Solidarity with Ukrainian people
プーチンの戦争を許すな！
阻止

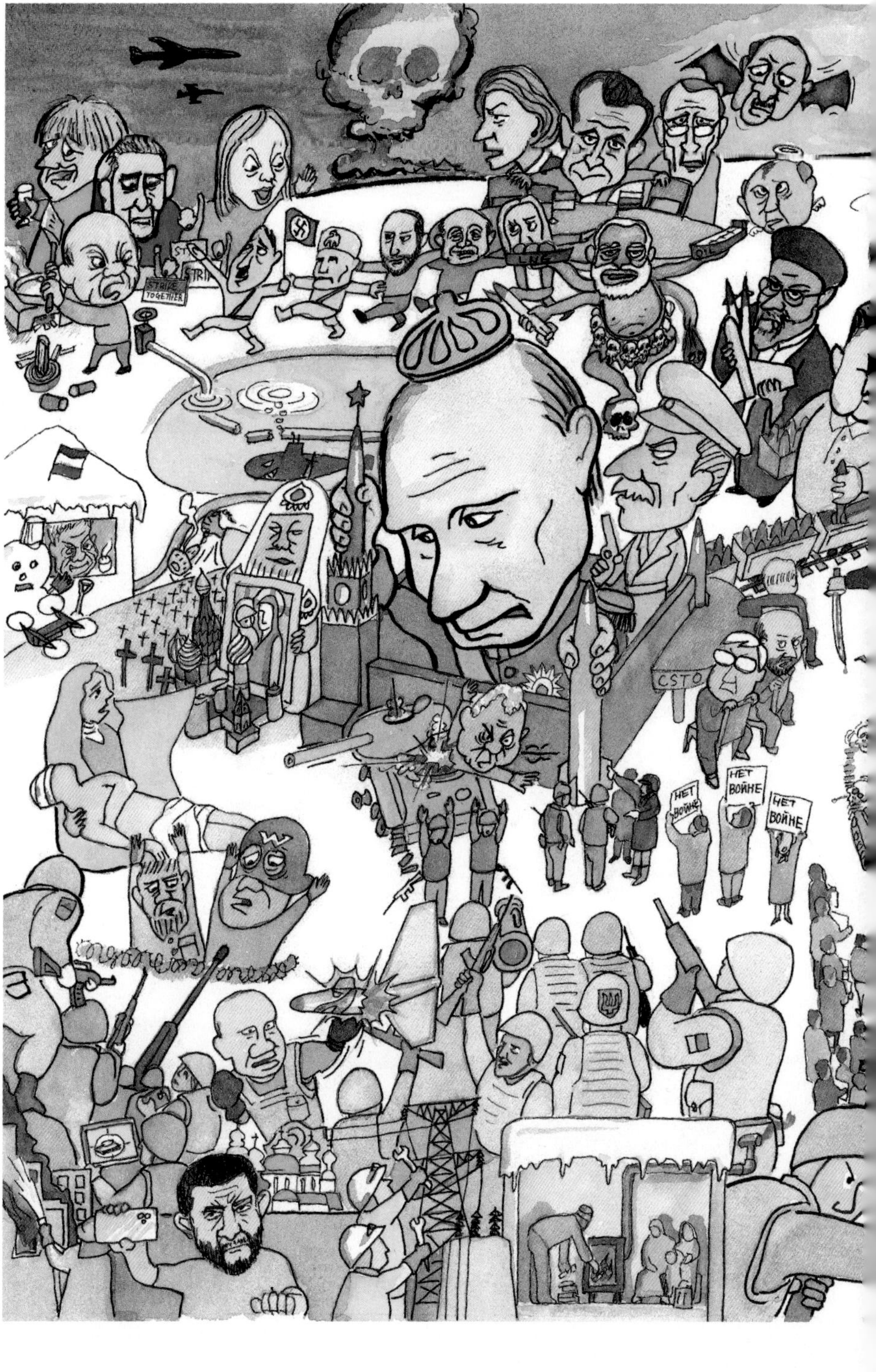

『解放』二〇二三年新年号掲載　登場人物発言集は一五四頁に掲載

「日米統合演習キーンソード23阻止！」沖縄県学連が自衛隊車両陸揚げ阻止に決起（11月8日、中城湾港）

関西共闘が中国総領事館前で人民弾圧に断固抗議（11月30日、大阪市）

中国大使館前で全学連が緊急闘争（11月30日、東京）

首都圏のたたかう学生が国会前で「改憲阻止」の雄叫び（11月3日）

新世紀 第323号（2023年3月）

The Communist

帝国主義打倒！
　スターリン主義打倒！
　　万国の労働者団結せよ！

2023年 3月　No.323　目次

新世紀

日本革命的共産主義者同盟 革命的マルクス主義派 機関誌

戦争の時代を革命の世紀へ

革マル派結成六十年——世界大戦の危機を突破せよ

すべてのたたかう労働者・学生諸君！　同志諸君！

二〇二三年新年の劈頭にあたって、わが革マル派は訴える。

われわれは今、世界史的激動のまっただなかにおかれている。

崩壊したスターリン主義ソ連邦の版図を回復するために、ウクライナの人民を大量に虐殺しその土地を焦土にし、もってロシア連邦に力ずくで組みこむことを企んだ「現代のロシア皇帝」プーチン。この〈プーチンの戦争〉は、ウクライナ人民の不撓不屈の反撃によって打ち砕かれつつある。

だが同時に、この戦争は、台湾海峡および朝鮮半島における戦争的危機を一挙に高めた。

スターリン主義ソ連邦の崩壊をば「共産主義にたいする資本主義の勝利」などと喧伝しつつ傲岸をほしいままにしてきたかつての「一超」帝国アメリカは、だがいまや、ネオ・スターリン主義中国の猛烈なキャッチアップに怯える落日帝国主義としての悲哀をにじませながら・そして大統領選挙ひとつまともにおこないえない荒廃を露わにしながら、「専制主義にたいする民主主義の闘争」などという白々しい旗印のもとに中国・ロシアにたいする対抗に血道をあげている。

これにたいして習近平率いる中国は、破産国ロシアのあがきを横目で見ながら、武力をもってする「台湾の併合」を策すとともに、「冊封」的な関係づくりをもってするその対外膨張主義を同時に貫徹しようとしている。だがもちろんその足元は、ネオ・スターリニスト党の専制にたいする人民の造反によって揺さぶられつつある。

こうして今、米―中・露の激突のなかで、〈東西新冷戦〉に孕まれていた世界大戦の危機・熱核戦争勃発の危機が、日々高まりつつあるのだ。

そしてこうした〈戦争の時代〉への突入のなかで、日本のネオ・ファシズム政権は、ついに日米軍事同盟を名実ともに攻守同盟へと転換し、アメリカと共に戦争をする軍事強国へと突進することを・またそのために憲法を大改悪することを、みずからの針路として定めた。

このような歴史の大転換のまっただなかにあって、われわれは、世界大戦の危機を革命的に突破し、まさに〈プロレタリア革命の時代〉を拓くために、全力を傾注してたたかわなければならない。今こそわが反スターリン主義運動の真価を遺憾なく発揮し、世界にはばたかなければならない。

今年二〇二三年は、わが革マル派が誕生してから六〇周年にあたる。この年をわが革マル派のさらなる飛躍の年とするために、決意も新たに前進しようではないか！

〔新年に臨むわが革マル派の基本指針は、昨二〇二二年十二月四日に開催された革共同政治集会において鮮明にされた。この時に同志・平川桂がおこなった基調報告そのものを、「ぜひ全文掲載して欲しい」という声が多くの集会参加者から寄せられたので、「新年の巻頭の提起」としてここに掲載する。なお、「安保三文書の閣議決定」など、集会の後に生起したことがらについてのみ、同志・平川が加筆した。」

すべての労働者・学生のみなさん！

二〇二二年は、かつてないほど世界の歴史が大きく転回した年でした。

今もなお続くプーチンのロシアによるウクライナへの残虐無比な侵略戦争、これによる熱核戦争勃発の危機、東アジアにおける台湾海峡および朝鮮半島での戦争的危機……。そしてこうした戦争の時代への突入と同時に、世界的に発生した狂乱的なインフレと経済的不況の深刻化、深まるばかりの労働者階級の貧困、さらにいわゆる南の途上国を襲う経済的破局と地球温暖化のゆえの生活基盤の崩壊、絶対的貧困と飢餓の蔓延――こうした未曽有の世界史的危機のなかで、まさに〈反帝・反スターリン主義〉を背骨としたわが革命的左翼は、この世界の根底からの転覆をめざして、一致団結してたたかいました。私たちは二〇二二年の一年間、本当によくたたかいました。そしてよく学びました。

二〇二三年は、革マル派結成六〇周年にあたります。二〇二三年こそ〈プーチンの戦争〉を打ち砕きとどめを刺し、また来たる春闘において日本労働者階級の一大反撃で「大幅一律賃上げ」をたたかいとる年にしなければならない。そのために私たちは、気合いを入れ、さらに奮闘しましょう。

私もそういう決意で革マル派を代表し、発言させていただきたいと思います。

I　二〇二二年――世界にはばたくわが革命的左翼

A　ウクライナ反戦闘争の推進

二〇二二年二月二十四日、プーチンのロシアの軍隊がウクライナへの侵攻を開始しました。わが同盟は、全学連と反戦青年委員会の仲間たちとともに、ロシア軍がウクライナに侵攻したこの第一報を耳にしたその瞬間に、「ロシアのウクライナ軍事侵略弾劾」の闘いに決起しました。

全学連は即座に、首都・東京のロシア大使館ならびに全国各地のロシア総領事館に向けて、緊急の労学デモンストレーションと抗議闘争に決起。わが同盟は「ウクライナ侵略弾劾」の声明を発しました。この声明を掲載した『解放』号外を手に、全国各都市や学園において街頭情宣を連続的にくりひろげたのです。首都・東京においては、夕闇せまる新宿駅頭でわが同盟の真紅の旗を翻し、大規模な情宣をおこないました。帰宅途上の労働者・人民にたいして、『解放』号外を手渡すとともに、ウクライナ反戦闘争に決起しようと訴えました。

この声明においてわれわれは、〝ウクライナ人民を血の海に沈めようとしているプーチンの暴虐を許すな・今こそ反戦闘争に起ちあがれ〟と呼びかけました。それとともに、ロシア侵略軍による猛爆撃と無差別殺戮にさらされているウクライナの労働者・人民に呼びかけました。大ロシア主義者プーチンによるウクライナの属国化策動を打ち砕くために「ウクライナ人民は一致団結しレジスタンスをたたかえ！」と。また同時に、プーチン政権の圧政のもとにあるロシアの労働者・人民には、「今こそ戦争狂のプーチン政権を打倒せよ！」と呼びかけました。

英語とロシア語を含む三ヵ国語で発したこの声明は、いまウクライナの地で、また世界各国で、労働者・人民の心をとらえ、われわれの思想はその大地に深く根をはりつつあります。

日本の地におけるウクライナ反戦闘争を最先頭で牽引し、反スターリン主義革命的左翼の真価をいかんなく発揮してきたのが、全学連の仲間たちです。全学連は、侵攻の直後に、日本に住むウクライナの人々の抗議デモにも参加してたたかいました。プーチンが、ウクライナ東・南部四州の「住民投票」の強行に手を染めた時も、またその「併合」を宣言した時も、つねにロシア大使館と全国の総領事館前に登場して、プーチン政権にたいする緊急抗議闘争をたたかったのです。

他方、わが同盟とともにたたかう戦闘的・革命的労働者は、「NATOの方が悪い」と言ってプーチンを擁護する既成左翼・労働運動指導部の無様な対応をのりこえ、職場生産点からウクライナ反戦の闘いを巻きおこすために奮闘しました。

そしてこの闘いを、首都・東京における五波の労働者・学生統一行動ならびに全国各地の統一行動へと集約してきたのです。

私たちが侵攻直後の二月に発した声明と、今年八月に開催した国際反戦集会の海外アピールは、全世界人民と左翼のあいだに大反響を呼び起こしました。国際反戦集会に海外から寄せられたメッセージの数々が、それを物語っています（詳細は『解放』第二七三二―二七三三号、本誌第三二一、三二二号などを参照）。

ロシアからは、「ウクライナにおけるプーチンの敗北は、ウクライナ人民の勝利であるとともに、ロシア人民の勝利でもある」、「われわれはあなたたちと連帯し、犯罪的なプーチン政権とあくまでもたたかいぬく」というメッセージが届きました。

またイギリスからは、「ウクライナ人民の英雄的なレジスタンスと連帯したたかう国際主義者が日本にいると知って嬉しい」という熱い共感が寄せられました。

そしてなによりも、戦火のウクライナにおいてレジスタンスを支えたたかいぬいている「ソツィアルニー・ルフ（社会運動）」からメッセージが届きました。われわれ反スターリン主義革命的左翼が彼らへの連帯を表明したことに、彼らは「ウクライナは必ず勝つ、左翼運動はやがて復興するという確信を得た」と言っています。彼らのフェイスブックは今も全学連の勇姿の写真を掲載しています。

私たちの闘いへの反響は、これにとどまりません。

二〇二二年十月、私たちは五月に執筆した中央労働者組織委員会の論文を、英訳して世界各国の諸団体に送りました（「Together with Ukrainian People」本誌第三二二号に掲載）。きわめて大きな反響があったので紹介します。

　イギリスからは、「こんなに洞察が深い論文は読んだことがない。非のうちどころがない。」

目次

またウクライナのソツィアルニー・ルフは、私たちが彼らに論文を送った翌日に、すぐに返事を寄せてくれました。「力強い支援をありがとう！　あなた方の見解を心躍る思いで読みました。すばらしい歴史的裏付けとマルクス・レーニン主義的分析の真の魅力に溢れていると思います」、と。（四〇頁～を参照）

　日本のみならず世界の腐敗した自称「左翼」もまた、「プーチンの侵略にたいしてウクライナが応戦したから暴力の連鎖が始まった」などと言いたてて、レジスタンスを戦うウクライナ人民を罵倒しています。これらの腐敗した「左翼」が錯乱する根拠を、中央労働者組織委員会の論文は、マルクス主義の武器をもって照らしだし、暴きだしてきたのです。私たちはこうした闘いを、日本反スターリン主義運動の大きな責務として、さらに強めていこうではありませんか。

B　「安倍国葬」反対の闘いとその教訓

私たちは、このウクライナ反戦闘争の推進とともに、ロシアによるウクライナ侵略をいわば口実として、アメリカの属国よろしく日本の軍事大国化を一挙におしすすめようとしている岸田政権の反動攻撃にたいしても、断固としてたたかってきました。反戦反安保・反改憲、ネオ・ファシズム反動化阻止の闘いを創造してきたのです。ここでは、「安倍国葬」反対の闘いとその教訓について述べたいと思います。

わが同盟と、たたかう労働者・学生は今秋、「安倍国葬」に反対する闘いを全国から創りだしました。

元首相・安倍を、〝国のために殉じた偉大な政治家〟として奉り、この安倍への弔意を示すことを労働者・人民に強いることにより人民を国家のもとへと統合していく。まさに日本型ネオ・ファシズム支配体制を一挙に強化することを狙って、岸田政権は国葬を強行したのです――労働者・人民の反対の声を踏みにじって。

実際、岸田政権はこの「安倍国葬」を、〈軍国日本〉の再興と日本型ネオ・ファシズム支配体制強化の野望をむきだしにする式典として執りおこないました。

国葬当日、岸田政権は、安倍の遺骨を載せた車列を防衛省に立ち寄らせ、国葬開始に合わせて日本国軍・儀仗隊による弔砲を轟かせました。それだけではありません。富士山をイメージした祭壇には安倍の写真と日の丸を掲げ、会場ど真ん中に白い軍服を着た儀仗隊を配置し、銃剣で「捧げ銃《つつ》」、そして軍歌をながしながらの黙禱……。

この「安倍国葬」に、「労働者代表として弔意を示す」などとほざき参加したのが、今日版産業報国会たる「連合」の会長・芳野にほかなりません。また日本共産党・志位指導部は、「閣議決定だけで国葬を決めたのは国会軽視だ」とか「国葬は弔意の強制であり内心の自由の侵害だ」とかといった理由で反対したにすぎません。

こうした既成指導部の腐敗を許さず、私たちは、「日本型ネオ・ファシズム統治形態の強化のための国葬反対」という旗幟を鮮明にするとともに、国葬をつうじて政府が企んでいる敵基地攻撃体制の構築や軍事費の大増額に反対すること、そして第九条の破棄と緊急事態条項の創設を核心とする憲法の大改悪に反対することを訴えてたたかいました。またわれわれは、多くの人民が「貧困が蔓延しているなかで巨額の費用を投じて国葬をおこなうことに反対」という声をあげているなかで、「アベノミクスこそが人民への貧困の強制の元凶」であることを暴露し、政府の経済政策にも反対することを訴えてたたかったのです。

革共同政治集会の基調報告に熱く応える労学（22年12月４日）

　そして私たちは、岸田政権にたいする人民の怒りの高まりのなかで、「岸田政権打倒」の反政府スローガンを掲げました。

　いま述べたように、私たちは、日本の軍事強国化・改憲の攻撃とアベノミクスの犯罪をもあきらかにしつつ、「安倍国葬反対」すなわち「日本型ネオファシズム支配体制の強化反対・〈軍国日本〉の再興反対」の方針の中に、反戦闘争の指針および政治経済闘争の指針の一部をも組みこみ、これを指針として国葬反対の闘いを推進したのです。このことは、国葬反対の方針に特殊的運動＝組織路線としての反戦闘争路線および政治経済闘争路線を適用していくことであるといえます。

　私たちは、過去のロッキード反戦闘争をめぐる論議、すなわち「疑獄弾劾の闘いを、同時に反戦・経済の軍事化阻止闘争としてたたかう」という論議に学び、これを現在的に生かしながら、既成の反対運動をのりこえるかたちで国葬反対の闘いをくりひろげたのです。そしてまさにこのゆえに私たちは、「国葬」への怒りに燃えて起ちあがった学生や労働者を、反戦闘争や政経闘争の担い手へと組織することもまた、成功裡に為し遂げることができたのです。

Ⅱ　戦争の時代に突入した現代世界

A　ウクライナの反転攻勢と揺らぐ米欧の結束

二〇二二年二月に開始されたプーチンのロシアによるウクライナ軍事侵略戦争と、これにたいするウクライナの軍と労働者・人民とが一体となった反撃――この戦いは、いま決定的な局面を迎えています。

侵攻の開始から十ヵ月――ウクライナの軍と人民は二〇二二年秋以降、東部のルハンスクやドネツクで反転攻勢を強め、ついにハルキウ州を奪還しました。

焦りにかられたプーチンは、人々に銃を突きつけて住民投票なるものを強行し、これを口実としてルハンスク・ドネツクだけでなく、二〇二二年九月末にはザポリージャとヘルソンの四州をロシアに併合することを宣言するという暴挙に出ました。そしてこの四州に戒厳令を出し戦争状態に入ったことを宣言したのです。

だがウクライナの軍と人民は断固たる反撃に出て、ついにプーチンが併合を宣言した唯一の州都であるヘルソン市を、僅か一ヵ月後に取り返しました。侵攻開始以降にロシア軍が制圧した地域の五五％が、すでにウクライナ側によって解放されているのです。メンツを丸つぶれにされたプーチンは逆上して、ヘルソン市を廃墟にしただけでなく、ウクライナの全土に連日ミサイルやイランから供与されたドローンを雨あられのように撃ちこんでいます。住居とともに発電施設や通信施設やガス・水道施設などのインフラを破壊しつくしています。

ロシア軍は、侵略の大義がないことのゆえに士気は低く武器も不足しています。ハルキウでは文字通り、蜘蛛の子を散らすように潰走《かいそう》しました。それゆえにプーチンは、三〇万の予備役を招集し、そのうちの二分の一の一五万人を戦場に送りこみました。だがこれによって、ロシア国内でのプーチン政権への反発が一挙に広がり、若者たちの多くが国外に脱走しました。しかも動員された予備役は、同士討ちをしたり投降したりで、戦死者は増えつづけています。

予備役兵の士気はきわめて低い。それゆえにロシア軍は、予備役兵の後ろに「督戦隊《とくせんたい》」と称する部隊を置いて背後から銃を突きつけ、脱走したり投降したりするならばこれを射殺するということまでおこなっているのです。

まさにこうした惨状のゆえに、ロシア軍はウクライナ軍に勝つことができない。そこでプーチンは、シリアのアレッポを無差別爆撃して人々を大量虐殺したスロビキンを新たに総司令官に任命し、いまウクライナへの残忍な攻撃に狂奔しているのです。

人を殺すことをまったくためらわない殺人狂のプーチン、ウクライナ軍への協力者とみなした者を捕らえて大量に虐殺し、捕虜だけでなく壊れた戦車の写真を撮ったというだけで子供をも捕らえて拷問する残忍きわまるプーチン、人の意志など暴力と恐怖でいかようにもできると思いこんでいるKGB出身の者のプーチン。このプーチンの軍隊による無差別のミサイル攻撃によって、いまウクライナ人民は、一二〇〇万人が電気を断たれ水道・ガスを断たれ通信も絶たれ、病院も破壊されて、マイナス二〇度にもなる極寒のなかを薪ストーブで凌《しの》ぐことを余儀なくされています。プーチンはいわば「冬の寒さ」を武器にして、一九三〇年代にスターリンがおこなったあの蛮行、六〇〇万人ものウクライナ人民を餓死に追いやったあの蛮行と同様の、「第二のホロドモール」をおこなっているのです。われわれの怒りは、いやがうえにも高まるではありませんか。

当初プーチンは、首都キーウを三日で陥落させ大統領ゼレンスキーを暗殺し、ウクライナを傀儡国家にしてロシアの属国にすることを企んでいました。

このプーチンのヒトラーのような野望を打ち砕いたその根本的な力は、まさにウクライナ人民の総決起でした。ウクライナの正規軍には志願兵が続々と加わりました。正規軍ではないが、昨日まで普通の仕事に就いていた人民が「自由大隊」などのゲリラ部隊をつくって統一司令部の指揮下に入り、戦闘に参加しました。地域ごとに「領土防衛隊」がつくられました。そして女性も老人も、火炎瓶をつくったりスマホで情報を提供したりドローンを提供したりと、レジスタンスに決起しました。まさにこれこそが、プーチンにとっての最大の誤算だったのです。

ロシア軍の死者は一〇万人を超えている。そのなかでプーチンは十一月末の「母の日」に、「ウオッカの飲み過ぎで死ぬ無意味な人生を送る人もいる。しかしあなた方の子供や夫はロシアのために意味ある死に方をしたのだ」などと発言した。このプーチンにたいしてロシアの女性たちは激怒し、その怒りは日々高まっているのです。

ロシア軍のミサイル攻撃によって命と生活を脅かされているにもかかわらず、いやまさにこのゆえに、ウクライナの人民は、「侵略者を叩き出せ」というその意志と団結力をますます強固にしています。

だが今、ウクライナの人民は新たな困難に直面しています。プーチンによる天然ガスの欧州への供給停止とそれによる空前の物価高のなかで、米欧の権力者たちが戦争の長期化を恐れて動揺し、ウクライナへの支援をためらいはじめているからです。

ウクライナ全土への生活インフラの破壊に狂奔するプーチンの狙いは、ウクライナでは人民が生活できないようにするとともに、多くの難民が欧州の周辺国に押し寄せるようにしむけることにもあります。そうすることによって欧州諸国の〝ウクライナ支援離れ〟をはかろうとしているのです。

まさにこのゆえに、すでに私たちが二〇二二年五月の中央労働者組織委員会論文において突き出したように、米欧諸国はいわば「ウクライナの勝ちすぎ」を心配し、戦争の長期化を避けるために、ウクライナにたいしてロシアとの交渉と妥協を陰に陽に要求しはじめているのです。

アメリカは、上院はZ世代と女性の支持で辛くも民主党が過半数をとりましたが、下院は共和党が抑え、ねじれとなりました。それゆえバイデンの要求する政策は今後通りにくくなります。そして折からの記録的なインフレのなかで、共和党のなかには、「ウクライナに肩入れしすぎだ」「白紙の小切手を切るな」という声が強まっています。このアメリカは戦略兵器削減交渉の継続にかこつけて、ロシアとの協議にすでにふみだしています。

また欧州では、たとえばイタリアとスウェーデンでは、右派が政権を握りました。とくにイタリアは、「イタリアの同胞」を率いる首相のメローニはムッソリーニの信奉者です。そしてこれと連立を組む「同盟」のサルビーニは「対露制裁反対」論者、「フォルツァ・イタリア」のベルルスコーニはプーチンの友人です。天然ガスの四割をロシアに依存するイタリアは、早晩他のEU諸国に足並みを揃えられなくなるでしょう。

ドイツは、第二次世界大戦でナチス・ドイツがやったことと瓜二つのことをプーチンのロシアがおこなっていることのゆえに、これまでウクライナ支援の先頭を切ってはいます。しかしドイツは、ロシア産のガスの供給の停止や制裁のダメージがもっとも大きく、今その経済は八%のインフレに見舞われ、景気後退を余儀なくされ、マイナス成長に沈みつつあります。それゆえ、プーチンが策している戦争の長期化を恐れて、和平交渉を模索しはじめるにちがいありません。

ウクライナ人民は侵略軍を撃破している。だが、にもかかわらず、先にも言ったように、彼らはいま大きな困難に直面している。だからこそ私たちは、〈プーチンの戦争〉粉砕の闘いを全世界で巻きおこす、その先頭に立たなければならないと思うのです。

B　現代世界の危機――その構造と特質

プーチンが開始したウクライナ侵略戦争は、〈米―中・露の新冷戦〉という二〇二〇年代世界の構造に孕まれていた戦争的危機を、一挙に深刻なものへとおしあげました。

この〈プーチンの戦争〉によって、熱核戦争が現実に火を噴く破滅的な危機が、一挙に昂進したのです。そして暗黒の世紀としての現代世界は、まさに戦争の時代へと突入したのです。このような現代世界の構造的特質について次に述べたいと思います。

すでに私たちはこのかん、「現代世界は米中対決の時代であり新たな東西冷戦だ」ということを突き出してきました。この「一超」軍国主義帝国アメリカとネオスターリン主義国・中国との力関係が、今まさに逆転する新たな局面に入りつつあるということです。

十月の中国共産党大会で三期目の総書記となった習近平は、インドネシアで開催されたG20に参加しました。これについて中国の『環球時報』は次のような社説を掲げました。

「中国はかつてなく世界の中心になっている。より多くの国が世界の統治と自国の発展には中国との良好な意思疎通が欠かせないと認識している」。

まるで、中国はついに世界の覇者になった、といわんばかりの言い方ではありませんか。

そしてG20に先だって、米中首脳会談がもたれました。そこではバイデンが習の宿泊するホテルにわざわざ出向きました。しかもバイデンは、習の姿を見つけるや駆け足で近寄っていって握手をした。どうでもいいことですが、バイデンは、自分はまだまだ元気だということを見せようとして、いつも駆け足をする。あれは逆効果だと思うんですよね。

そしてこの会談でバイデンは、「お互いの違いに対処し、競争が対立に発展するのを防ごう」「意図しない衝突は避けよう」と呼びかけました。このことは、米中の対立が今後ますます激烈化することは避けられないが、不測の事態によって全面戦争に突入することだけは避けよう、ともちかけたことを意味します。いいかえれば、アメリカ帝国主義の権力者としていかなる米中関係を築くかというビジョンはまったくなく、ただ「核使用は容認しない」ことを確認しただけで、もっぱら相互に「越えてはならないレッドゾーン」を確認しようとしたのです。そこで習が「台湾の統一は核心中の核心だ」と述べたことは言うまでもありません。

ちなみに習近平は、十月下旬に開催された共産党大会において、みずからを「党の核心だ」として、総書記を三期連続で続けることを決めました。そして「チャイナ・セブン」といわれる七人の政治局常務委員を、李強という浙江省時代の自分の秘書長をナンバー2に据えたことをはじめ、すべて自分の手下で固めました。世に言う「習一強体制」の確立です。これまで序列二位だった李克強や汪洋――中国共産党という官僚主義の党には序列というのが決まっているのです――、彼らは二十四名からなる政治局員からもさらに中央委員からさえも排除されました。共青団出身の官僚はすべて排除されたのです。

　これに抗議の姿勢を叩きつけたのが前国家主席の胡錦濤でした。さあこれから、中央委員が発表されるという時です。外国人の記者が会場に入ることを許された、ちょうどその時です。胡錦濤は中央委員の名が書かれた赤い名簿に手をかけました。すると隣の男がそれを取りあげ、抵抗する胡錦濤を周りの男が連れ出しました。その時、胡錦濤は連れ出されながら、習の隣に座っていた李克強の肩にやさしく手をかけました。あれは病気で退場などではありません。習が指導部を側近だけで固めたことにたいする精一杯の抗議のパフォーマンスだったのです。

　だがこの習一強体制なるものは、船出と同時にガタガタになっています。いま中国では、習近平のとってきた「ゼロコロナ」政策の強硬な貫徹にたいする人民の怒りが高まっています。そして同時に、その経済も大きく落ちこんでいます。

　まさにこのゆえに中国全土で抗議闘争が巻きおこっています。二〇二二年十一月二十四日に、新疆ウイグル自治区ウルムチ市のマンション火災で、都市封鎖のゆえに消火が遅れ、多くの人が亡くなった。これにたいするウルムチの抗議行動を発端にして、習近平政権にたいする怒りの炎が、南京、上海、武漢、成都、そして首都・北京の街頭や大学キャンパスへとまたたくまに拡大したのです。北京や上海では、労働者・学生が、「独裁反対」「習近平は退陣しろ！」という反政府のシュプレヒコールをあげました。さらには、インターナショナルと中国国歌の大合唱。この国歌には、「起ちあがれ、奴隷になることを望まぬ人びとよ！」という一節があります。集会に集まった労働者や学生たちは、この歌を習近平政権への抗議の意をこめて、高らかに歌ったのです。

この人民の決起に驚愕した習近平は、三年におよぶ「ゼロコロナ」政策を一夜にして転換し、「新型コロナかぜは一週間で治る」などと言いだしました。だが人民がいっせいに決起すれば共産党の専制をうち破ることができるということを体験した中国の労働者・学生・人民は、今後ますます反逆に起ちあがるにちがいありません。この中国人民のなかに、われわれは今こそ〈反スターリニズム〉の思想を広めていこうではありませんか。

元に戻りますが……こうしていまや米中は、激突必至の局面に入ったのです。二〇二二年十月末にバイデン政権は、『国防戦略』を発表しました。そこでアメリカ権力者は、中国への対応が最優先であることを明記しました。すなわち、国防の要の第一は、インド太平洋での中国の「力による現状変更」を許さないことであり、第二がヨーロッパでのロシアの挑戦をしりぞけること、としたのです。

落日の帝国主義アメリカは、いま、ネオ・スターリン主義国である中国が自国に追いつき追いこそうとしていることに脅えています。血塗られたその手を隠し「専制主義と対決する民主主義の旗手」を装いながら、失われつつあるみずからの影響力の挽回に必死になっているのが、没落を露わにする軍国主義帝国アメリカのバイデン政権なのです。

いま述べたこうした米中対決の現局面——一言で言えば戦争の時代への突入の様相はさらに次のようなところにもあらわれています。

第一は、ロシアのウクライナ軍事侵略を発火点として、東アジアにおいても戦争勃発の危機が高まっていることです。

習近平の中国が向こう五年以内に台湾を統一する策動を強めていること、これを起動力として、台湾海峡をめぐる危機が一挙に高まっています。そして同時に北朝鮮は、いまや公然とロシアのウクライナ侵略を支持し、四州併合を世界で唯一承認し、そしてイランとともにロシアに武器・弾薬を供与しています。金正恩指導部は、ロシアと「対米」で結託しロシアの支援を受けながらミサイル発射をくりかえし、アメリカ全土を射程に入れる大陸間弾道ミサイル「火星17号」の発射をもおこなっています。

この北朝鮮にたいして、アメリカのバイデン政権は軍事行動をエスカレートさせています。Ｂ１Ｂという「死の白鳥」といわれる核兵器の搭載も可能な戦略爆撃機を朝鮮半島の上空に飛ばして、北朝鮮の金正恩指導部を威嚇しながら……。

こうして東アジアはいま、戦争前夜というべき危機に覆われているのです。

第二には、熱核戦争勃発の危機が、現実のものとなっていることです。一九九〇年代はじめのソ連邦の崩壊を西側の各国権力者どもは「資本主義の勝利」と喧伝するとともに、いわゆる「冷戦の終焉」とみなしました。

だが、彼らは核軍事力の増強をやめたわけでは決してない。戦略核兵器については人類の破滅を招くがゆえにおいそれとは使えないなかで、権力者どもは、使える核兵器の開発・配備の競争にのりだしました。その先頭を走ったのが、軍事大国・資源大国ではあるものの産業のまったくない、破産国ロシアでした。まさにこのゆえにプーチンのロシアは、「大国としての復活」をはたすために、この「使える核兵器」を最大限活用して、ソ連邦の崩壊によって失われた版図の復活をはかろうとしているのです。

「大ロシア主義」を旗印にして……。

さらに現在のウクライナ戦争は、ドローン戦争でもあり、宇宙の軍事衛星と結びついたデジタル情報戦争でもあり、またフェイクの乱れ飛ぶ情報戦でもあるといった、現代における戦争それ自体の形態変化を露わにもしていますが、これについては省略します。

第三には、いま米欧日や中露の権力者どもは、おしなべて軍事費を一挙に増大させながら、大軍拡をはかっているということです。いまや世界は大軍拡競争時代に突入したのです。莫大な国家資金を投入しての新たな軍事技術開発の推進、軍需産業の育成、月の争奪をも含む宇宙空間の軍事化の競争などがそれです。

このことは、腐朽を露わにする末期資本主義が、軍需生産の拡大によってその延命を策していることともつながっているのです。

そして第四には、各国権力者が資源の囲い込みに狂奔していることです。

新型コロナの世界的蔓延によって促進されもした、いわゆる「経済のボーダレス化」の終焉のなかで、米中の政治的軍事的対決を基軸とした世界の分割とともに、各国は先端半導体などの戦略物資や、リチウムやコバルトといったレアメタル・レアアースなどの希少資源――その多くは中国が持っているのですが――の囲い込みに走っています。

それだけではありません。各国の権力者は、天然ガスなどのエネルギーおよび食糧の囲い込みに狂奔しています。ロシアのウクライナ侵略以降、自国でつくった穀物の輸出を制限した国は、実に二十六ヵ国にものぼっているのです。

私たちはトランプが登場したその直後の・すでに四年も前から指摘してきたことですが、世界の権力者どもはいま、「経済安保」に血眼となっているのです。

とくにいまアメリカは、中国にたいして、強烈な半導体規制をかけています。二〇二二年八月には、「輸出管理規制の強化」をうちだしました。最先端の半導体の設計技術はアメリカが握っているのですが、中国には先端半導体も製造装置も設計ソフトも、ノウハウを持った人間も出さないと決めたのです。まさにこれは、アメリカが中国にぶち込んだ「見えない弾道ミサイル」といわれています。ちなみに最先端半導体の製造は世界の九〇%が台湾でおこなわれています。台湾をめぐる米中の角逐は同時に半導体の奪い合いでもあるのです。

第五には、米および中・露の権力者どもはいま、〈南〉のいわゆる途上国にたいして、兵器供与・軍事援助や食糧援助やインフラ整備などの経済援助をテコとして、それらの国々をみずからの勢力圏にからめとる策動を強化していることです。

アメリカ式の経済のグローバル化によって途上諸国が貧困に叩きこまれたこと、これにいわばつけいって、これらの諸国との関係を強化してきたのが中国やロシアです。そして、これにたいして米欧はこれを巻き返し、〈南〉の諸国との関係を強化するための手段として、兵器の輸出にのりだしているのです。

こうしていま、米欧日と中露とが地球的な規模で対決するという基本的構図のもとで、アフリカ諸国、ＡＳＥＡＮ諸国、南太平洋の島嶼諸国などをいわば〝草刈り場〟として、〈南〉の国々の抱き込み競争が開始されているのです。

そしてこうした大軍拡競争のまっただなかで、これらの権力者どもは、その財源確保のためにも自国の労働者・人民にいっそうの貧困を強制しています。それと同時に、人民の高まる不満を強権的に押さえつけるとともに、（中国のように）政府のトップダウンで政策を進めることのできる強権的な支配体制の構築をはかっているのです。そして、まさにこうしたことを背景として、いま世界の至る所で、今ヒトラーやミニ・ヒトラーが跋扈する、という事態が現出しているのです。

いわゆる途上諸国においても、その経済的困窮のゆえに、自国を助けてくれさえすれば米欧であれ中露であれどこでもよい、という状況が生まれています。

こうして、中南米ではこの四年間で連続的に八つもの国々で、いわゆる左派政権が誕生しました。ASEAN諸国は引き裂かれています。そしてアフリカ諸国は、ソ連邦崩壊以前にロシアとの関係が深かったことからこのかんロシアとの関係を密にするという傾向が生みだされてきていたのですが、このアフリカ諸国を巻きこむために、ロシア・アメリカ・中国がいま熾烈な綱引き競争を演じているのです。

付言すれば、このような米―中・露の政治的軍事的経済的激突を基軸とした国家エゴイズムの相互衝突のなかで、地球温暖化対策などはいまやそっちのけになっています。人口二億人のパキスタンでは洪水で国土の三分の一がいまなお水没し、フィリピンの島々では人々が床上浸水状態で生活し、インドネシアでは首都を移転せざるをえなくなっているのです。

他方、逆に干ばつも世界で頻発しています。中国では長江の一部で川と湖が干上がり、台湾でも干ばつのゆえに大量の水を必要とする半導体が製造できなくなっている。また地中海沿岸のスペイン・ポルトガル・イタリアは大干ばつに襲われ、アフリカのソマリアやスーダンなどでは大干ばつで餓死者が続出している。

このように地球温暖化は誰の目にも加速しているにもかかわらず、「損失と被害」を掲げたCOP27では会議を二日間延長したにもかかわらず実質上なにも決められなかった。それどころか、〈プーチンの戦争〉によって、世界は温暖化対策などは横にどけ、いまや石炭と原発に依存する方向へと逆行しているのです。

まさにこれらが、戦争の時代としての現代世界の様相なのです。

Ⅲ　反戦闘争、政治経済闘争の革命的高揚を！

A　〈プーチンの戦争〉を打ち砕くために

いまウクライナの人民は、すでに見たように、大きな困難に直面している。そうだからこそわれわれは、今こそこの日本の地において、〈プーチンの戦争〉を打ち砕くために全力を傾注しなければならない。ウクライナ反戦闘争をさらにおしすすめること、そして同時に、日本反スターリン主義運動の責務にかけて、ウクライナの労働者・人民とロシアの労働者・人民、そして世界の人民にたいして「今、何をなすべきか」を訴えていくこと、この二つの闘いを同時的におしすすめなければなりません。

ここではまず後者から述べたいと思います。

(1)　ウクライナ人民・ロシア人民に呼びかけよう

全世界の自称「左翼」の多くが、ウクライナ侵略戦争にたいして混迷し腐敗した対応しかできないのは、一体なぜなのか。

まず第一に、誰が誰を侵略しているのか、この出発点を曖昧にしているからにほかなりません。

侵略しているのは誰なのか。核兵器を保有している軍事大国のロシアです。圧倒的な優位に立つ軍事力にものをいわせてウクライナに攻めこみ、病院や学校、住宅や避難所などにミサイルをぶちこんで町を焼き尽くし、人民を殺戮し国土を蹂躙しているのがプーチンです。この今ヒトラーは、ウクライナの労働者・人民が、ウクライナの民族としてみずからの国土に住まい生きていくことそれ自体を、「ひとつのロシア民族」の名のもとに破壊しようというのです。〝ウクライナはロシアの一部としてのみ存在することを許す〟と言わんばかりのこの暴挙を、大ロシア主義をふりかざすプーチンを、われわれは決して許しはしない。

この「誰が誰を侵略しているのか」という出発点を曖昧にするならば、自称「左翼」どものように、〝どっちもどっちだ〟などという冷ややかで勝手な解釈に陥ることはあまりにも当然なのです。

第二に、驚くべきことに、「左翼」を自称する者たちは、いま述べた第一のことと裏表の関係になりますが、ロシアに侵略され苦しみながらも・これを打ち砕くために決死のレジスタンスを戦っている労働者・人民の立場にたつことを、投げ捨ててしまっている。これが彼らが「左翼」以前的な対応しかなしえない根拠だと思います。彼らにはプロレタリア・ヒューマニズムが欠けているのです。

侵略者の暴虐にたいして命を賭して戦っているウクライナ人民に向かって、「どっちもどっちだ」とか、果ては北井一味のように「ウクライナ政府のために戦うのは祖国防衛主義だ・民族主義だ」とかと喚くのは、「左翼」以前というしかありません。

われわれは、こうした反プロレタリア的主張を断固として弾劾し、ウクライナの戦う人民にたいして連帯を表明していくのでなければならないと思います。

第三には、ロシアの侵略をはねのけ撃破するために、ウクライナの労働者・人民はいかにたたかうべきかにかんする理論的武器を、もっていないということです。端的に言えば、革命闘争論の欠如です。

一般的にいえば、侵略する国においては労働者・人民は、革命的敗北主義の立場にたち、戦争反対の闘いを同時に戦争を遂行する国家権力そのものを打倒する闘いとしておしすすめねばなりません。

他方、侵略される国においては、前衛党はまずもって侵略者を撃退するための統一戦線をつくり・かつその中に入ってたたかわねばならない。そしてこの統一戦線の内部で前衛党の党員は、この闘いの勝利をつうじてどのような国家権力の樹立に向かって進むべきかということをめぐる思想的＝組織的闘いを、柔軟におしすすめるべきなのです。

黒田さんは、一九七〇年代はじめごろのアメリカ帝国主義のベトナム侵略戦争末期に、すなわち南ベトナム解放民族戦線を主導していたベトナムのスターリン主義指導部が「民族和解政府樹立方式」を掲げつつスターリニストの主導のもとに南北ベトナムの統一をはかろうとしていた時に、こうした「解放民族戦線の内側からの左翼的＝革命的のりこえ」の論理をあきらかにしてくれました。二〇〇三年のアメリカ帝国主義のイラク侵略戦争において、黒田さんが「イラク人民はレジスタンスをたたかえ」というスローガンを考えてくれたのも、同様にこれにのっとっています。

そして第四には、われわれは、スターリン主義の虚偽性、その反プロレタリア性、その反マルクス・レーニン主義的本性を、断固として暴きだしていくのでなければならない。＜プーチンの戦争＞を前にして自称「左翼」たちが混乱しているその根本は、このスターリン主義との対決をまったくしてこなかったし、今もしていないことにあるのです。

われわれはロシアの人民にたいして呼びかけなければならない。

一九九一年のソ連邦の自滅的自己解体は、すでに「圧政と抑圧と貧困」の別名となっていたスターリン型の国家と社会の崩壊であって、マルクス・レーニンのめざした社会主義の「世紀の実験とその失敗」などでは断じてない。レーニン率いるボルシェビキが帝政ロシアを打ち倒して樹立した革命ロシア

――これを「一国社会主義」の旗のもとに簒奪したのが、スターリンとその一派なのです。

しかもソ連官僚どもは、プロレタリア国際主義を投げ捨てたことのゆえに帝国主義との抗争に敗北しました。そしてその挙げ句の果てに、ゴルバチョフらスターリン主義官僚どもはソ連邦を解体し、またその後エリツィンらは資本主義ロシアを復活させました。その時彼らは、ソ連の国有財産を自分の身内や縁故あるものに二足三文で叩き売ってみずから財をなした。こうしてオリガルヒと呼ばれる新興財閥が簇生《そうせい》したのです。そしてこのエリツィンを汚職で訴追しないことを条件にロシア大統領の座を譲り受けたのが、ほかでもないKGB出身の小役人・プーチンでした。

プーチンは、謀略を駆使してチェチェンの人民を血の海に沈め、そうすることによって経済的奈落に沈み意気消沈していたロシア人民を〝鼓舞〟して自己の権威を高めました。そして二〇〇八年のリーマン・ショックのさいには、破綻寸前の企業にたいしこれを選別して国家資金を注入し救済し、これと引き換えに、シロビキと呼ばれる国家暴力装置の要員などを送りこみ、石油・ガス・資源および金融などをみずからの支配下に置いたのです。このゆえにわれわれは、ロシアの統治形態をFSB(ロシア連邦保安庁)強権型支配体制と呼び、その経済構造をFSB強権型国家資本主義と呼んでいるのです。

あきらかにプーチンは、解体されたソ連邦の国有財産の簒奪者なのです。ちなみにベラルーシをはじめかつてのソ連邦構成諸国のいわゆる独裁者どもも、ほとんどすべてはスターリン主義者の末裔なのです。

だがウクライナにおいては、二〇一四年、クレムリンの傀儡分子のヤヌコビッチ政権が倒壊した。ヤヌコビッチは、自宅の豪邸のなかに私設の動物園まで作っていた汚職まみれの人物です。この男は人民の怒りのデモに包囲されてロシアに亡命してしまった。いわゆるマイダン革命です。だからこそプーチンは、ウクライナの現政権を敵視し、それを倒し、ウクライナそのものをロシアに組みこむことを策しているのです。

いま見てきたように、プーチンという悪党は、人民の敵なのです。すべてのロシア人民はこのことに目覚め、ロシアの労働者階級が戻るべきところはまさにロシア革命にこそあるのだということを、〈プーチンの戦争〉のまったただなかで自覚し、もって「プーチン政権打倒」へと前進しなければならない。われわれはこのことを、ロシア人民にたいして断固として呼びかけていかなければならないのです。

また同時にウクライナ人民にたいしては、われわれは次のことを訴えていかなければならない。

ウクライナ侵略を打ち砕く闘いのそのただなかで、プーチンの圧政を食い破りたたかっているロシア人民と、階級的団結を築いていこう。ともに手を携えて、革命ロシアの伝統をみずからの内に蘇らせつつ、もってウクライナとロシアの地に再びソビエト共和国を建設すべく前進しよう、と。

スターリンのソ連邦がおこなったウクライナ人民への残虐きわまる抑圧のゆえに、ウクライナの人民の多くはソ連型社会主義を憎み、これと革命ロシアによりうち立てられたソビエト共和国を等置してしまっているのだと思います。

この彼らにたいして、われわれは、わが反スターリン主義の思想をなんとしても届けたい。反スターリン主義の闘いを波及させなければならない。われわれは、プーチンのロシアの暴虐とたたかう彼らの立場に身を移し入れ、まさに彼らに熱い連帯を送るそのただなかで、スターリン主義のエセ・マルクス主義としての虚偽性を暴きだし・同時に資本主義世界の悲惨をも暴きだし、これらをともに超克していく道、すなわちプロレタリア解放の道を指し示していくのでなければならないのだ。

(2)　ウクライナ反戦闘争の高揚をかちとれ

同時にわれわれは今こそ、この日本の地において、ロシアのウクライナへの侵略戦争に反対する大衆闘争をさらに前進させなければならない。

〈プーチンの戦争〉を断固として打ち砕け！　ウクライナのインフラや住居を爆撃し破壊し、人民を恐怖と極寒の淵に叩きこむプーチンの蛮行を断じて許すな！　日本の共産党中央は、各国権力者による国連での話し合いに期待を寄せ、ウクライナ反戦闘争をその尻押し運動へと歪曲している。このような既成反対運動を、われわれはのりこえ、今ヒトラーにしてスターリンの末裔であるプーチンによるウクライナ侵略反対の闘いをこの日本の地から燃えあがらせようではありませんか！

そしてこの闘いの推進のただなかで、われわれは、すでに述べたような戦うウクライナ人民への連帯を、またプーチンの圧政に抗してたたかうロシア人民への連帯を、断固として表明していかなければなりません。その場合もちろん、先に述べたウクライナ人民およびロシア人民への呼びかけの内容の一部をも組みこんでいくべきであることは、言うまでもないと思います。

このようなウクライナ反戦闘争を日本の地において断固として創造することが、必ずや、ウクライナの地で戦う労働者・人民への檄となるということを、私は確信しています。

十月下旬のことです。「ウクライナ連帯ヨーロッパ・ネットワーク」という組織からわが同盟に招待状が届きました。「ウクライナ連帯世界会議」への招待です。

彼らは、〝あなた方の闘いの経験を自分たちにも共有させてほしい〟と伝えてきたのです。

私たちは、すぐに返事を送りました。皆さんの手元に、私たちがこの会議に送ったメッセージの全文が渡っていると思います。ここで、紹介させてください。

「プーチンはいま、ウクライナという国家を地図から消し去り、ロシア連邦に組みこみ、ウクライナという民族と民族的アイデンティティそのものを抹殺しようとしています。まさにそれは、ナチス・ドイツの暴虐、スターリン支配下のロシアの暴虐、そして帝政ロシア時代の暴虐の三つが重なったような〈世紀の蛮行〉であり、それらの現代における再現と言わなければなりません。

そして世界の労働者階級・人民がこれを座視することは、全世界の労働者階級自身の屈辱の歴史に終止符をうち、その未来を切りひらく道を放棄することだと思います。今こそ〈万国のプロレタリアートよ、団結せよ〉という真紅の旗が掲げられなければならないと思うのです。

しかし、残念ながら、世界の多くの左翼が混乱のルツボに叩きこまれています。ある者は〈どっちもどっち〉と言い、ある者は〈帝国主義のNATO拡大こそが戦争の元凶だ〉と言い、ある者は〈人の命が奪われないために譲歩と話し合いを〉と言う。これらの人たちに欠けているのは、侵略者への怒りであり、〈一人がみんなのために・みんなが一人のために〉という労働者魂だと思います。

そして思想的には、スターリニズムとは虚偽のマルクス・レーニン主義だという自覚を今なおもっていないことにあると思います。

反マルクス主義としてのスターリン主義の問題と真剣に対決しない限り、帝国主義とスターリン主義に分割支配された二十世紀世界を総括することも、ソ連邦の崩壊を理解することも、そしてその後の『一超』軍国主義帝国アメリカの横暴と没落と、これへの破産国ロシアおよび『開明的』スターリン主義・中国の逆襲の反プロレタリア性を暴きだすこともできないと思うのです。

ウクライナ人民のレジスタンスを全力で支援し〈プーチンの戦争〉を粉砕することは、もちろんウクライナの労働者・人民の勝利のためですが、それは同時にロシアの労働者のためでもあり、また私たち自身のためでもあります。

ともにたたかいましょう。」

すべての労働者・学生のみなさん。私たちは、ウクライナ反戦闘争を国際的に波及させるために、さらに奮闘しましょう。

B　反戦反安保・反改憲の闘いを推進せよ

さらにわれわれは、岸田政権による日米安保同盟の実質上の大改定と憲法改悪と大軍拡というこの戦後史を画する一大反動攻撃を打ち砕く闘いを、総力を結集しておしすすめようではありませんか！

岸田政権は、「国家安全保障戦略」「国家防衛戦略」および「防衛力整備計画」といういわゆる「安保三文書」を閣議決定するという暴挙に打ってでました。この前二者では、中国を「これまでにない最大の戦略的な挑戦」、北朝鮮を「重大かつ差し迫った脅威」とし、また新たにロシアを加えてこれを「安全保障上の強い懸念」としました。そのうえで、これら敵国の領域内を直接攻撃する「敵基地攻撃能力」を新たに「反撃能力」などと呼びかえゴマかしつつ、これを「保有する」ことを明記したのです。そしてそのために「防衛力整備計画」において、二〇二七年度にはインフラ整備なども合わせて総額一一兆円、GDPの二%にするというように、軍事費を一挙に増額することを決めたのです。しかも許し難いことに、その財源の一部として、東日本大震災の復興特別所得税をあてるなどということまでうちだしたのです。

岸田政権がうちだした「新戦略」においては、「武力行使の三要件」として、「日本と密接な関係にある他国に対する武力攻撃が発生」した場合も含まれる、とされています。つまり、日本が直接攻撃されなくても集団的自衛権にもとづいて「敵基地攻撃」をおこなうことができるとしたのです。そして「相手の領域において、我が国が有効な反撃を加えることを可能にする、スタンド・オフ防衛能力」を保有するために——「スタンド・オフ」とは敵の射程外という意味です——、二〇二七年度までに射程一〇〇〇キロメートルの地対艦ミサイルや巡航ミサイル「トマホーク」などを大量に配備していくことをあきらかにしました。

これらのことは、いったい何を意味するのか？

岸田日本型ネオ・ファシズム政権は、建て前でしかないとはいえこれまで掲げてきた「専守防衛」を、いまや公々然と投げ捨てたのです。そして日米安保同盟を名実ともに攻守同盟へとつくりかえたのです。岸田政府は、習近平の中国が「台湾の力ずくの併合」という野望をむきだしにしていることへの危機意識にかられ、ロシアのウクライナ侵略をいわば「渡りに船」として、歴代自民党政府がとってきた戦後の安保政策の——もちろん実際は、伝統的なし崩しのやり方でその内実を変えてきたのですが——文字どおりの大転換をやってのけたのです。

このことは、岸田政権がアメリカの「属国」よろしく、中国を主敵としたアメリカ・バイデン政権の軍事戦略に、日本のそれを完全に従属させたことを意味します。没落する軍国主義帝国アメリカは、「二十一世紀の覇者」の座を狙う習近平・中国の台頭を阻止するために、同盟諸国を動員して「集団的な力を強化する」ことをその「国家安全保障戦略」で謳っています。このアメリカと「運命共同体」的に一体化し、東アジアにおける対中国包囲網の構築に血道をあげているのが岸田極反動政権なのです。

われわれは、日米軍事同盟の飛躍的強化と日本の軍事強国化というこの岸田政権の画歴史的な大攻撃を、なんとしても打ち砕かねばなりません。

この岸田政権は、だからまた同時に、憲法の大改悪をおこない、日本国軍の保持と「緊急事態条項」を憲法に明記し、もって現行憲法の「戦争放棄」条項をなきものにしようと血道をあげています。

アメリカとともに敵国にたいして先制攻撃をもなしうる軍事強国・日本となるために、ネオ・ファシズム憲法を制定するという戦後史を画するこの一大反動攻撃を、われわれは日本労働者階級の未来をかけて木っ端みじんに粉砕するのでなければなりません。

しかし日本共産党中央は、「大軍拡を許さず憲法九条を守り生かす」とはいうものの、「改憲・大軍拡反対」の方針から、「反安保」を完全にぬきさっている。

なぜ「反安保」を投げ捨てるのか？　それは代々木官僚じしんが「日本国家の安全保障」という政府・権力者と同じ土俵にたって安全保障政策を案出しているからにほかなりません。みずからの代案を案出するさいに「日本国家の国益の防衛」という独占ブルジョア的な理念をイデオロギー的基準としてとりこむほどまでに彼らは思想的堕落を深めているのです。

われわれはこうした既成反対運動をのりこえ、「日米軍事同盟の強化粉砕！」「日本の軍事強国化阻止！」「憲法改悪反対！」を掲げてたたかおう！

そして同時に、われわれは、米日韓の対中国・ロシア・北朝鮮の軍事体制の構築と強化に反対するとともに、「台湾併呑を狙った中国・習近平政権の反人民的な軍事行動反対！　北朝鮮の弾道ミサイル発射弾劾！」をも掲げ、世界の労働者・人民と連帯して、〈米―中・露激突〉下の熱核戦争勃発の危機を突き破るために、今こそ革命的反戦闘争を巻きおこそうではありませんか！

すべての労働者・学生のみなさん！

かつて東アジアの諸国を軍靴で蹂躙した〈軍国・日本〉の再興を企む岸田政権、そのために憲法の大改悪に突進する岸田政権――この岸田日本型ネオ・ファシズム政権の打倒をめざして、今こそ日本の労働者・学生・人民は総力を結集してたたかいましょう。

C 〈大幅一律賃上げ獲得〉――二三春闘の戦闘的高揚を！

ロシアのウクライナ侵略によるエネルギー危機・食糧危機とこれによっていっそう激烈化した米―中・露の激突のもとで、いま世界的にインフレ・物価高騰の嵐が引き起こされています。日本においても、電気・ガス、ガソリン・灯油、食料品など生活必需品の価格が急激に値上がりし、非正規雇用労働者・母子家庭をはじめ多くの労働者・人民が日々の食事にも事欠く貧窮のどん底に叩きこまれているのです。

この日本における物価高騰は、何よりも安倍と日銀総裁・黒田が強行してきた「アベノミクス」という名の「異次元の金融緩和」策をこそ主な要因としています。米欧各国がこぞって金利の引き上げに走っているにもかかわらず、日本は、国の借金がGDP比で二六三％と先進諸国の中でもダントツであり、しかもその過半を日銀が抱えこんでいることのゆえに米欧のように金利を引き上げることができず、打つ手なしなのです。そしてこの金利差のゆえに歴史的な円安が引き起こされているのです。

だが岸田政権は、大企業と大金持ちにだけ巨万の富をもたらし・その対極において労働者・人民を貧窮の淵に追いやってきたこの金融緩和策をあくまでも継続しようとしています。

彼らは、「総合経済対策」と銘打って、総額二九兆円もの補正予算を中心とする施策をうちだしました。その中心は、世界的に激烈な競争が展開されている分野での競争力を強化するための独占体支援策ばかりです。半導体やＡＩ・量子コンピュータなどの軍事技術でもある最先端技術分野にたいしては、政府みずからが先頭に立って研究開発と実用化を牽引していくために国家資金を投資するのです。

その他面で、人民からいかに巻き上げるかということばかりに腐心しているのが、岸田政権と自民党です。岸田政権は、「全世代型社会保障」の名のもとに二〇二二年十月から、多くの高齢者の医療費窓口負担を一挙に二倍に引き上げましたが、このことにもそれは示されています。

この岸田政権は、いま「構造的賃上げ」などということを語りはじめています。だがこれは、「賃上げ」どころか、労働者階級へのこれまでとも質を異にする一大攻撃です。

彼らは独占資本家どもと共にほざいています。「労働移動の円滑化、リスキリング促進、これをつうじた生産性向上による構造的賃上げ」と。一言で言えば、競争力を失った部門や不採算の部門は切り捨て、そこにいた労働者は首を切る。労働者には自分の力でみずからの技術・技能を高めさせる、これをリスキリングと称しているのです。資本家は、労働者のうち「使える」と見たてた者のみを新たに・少しばかりの〝賃上げ〟を施して雇い入れる。――これを労働者のためであるかのように偽《いつわ》って「構造的賃上げ」などと称しているのです。

彼らはその他方で、大多数の労働者は「役にたたない」と烙印して、これまで以上に低賃金で不安定な雇用・あるいはウーバーイーツのような「雇用によらない働き方」を強制しようとしているのです。

岸田政権はこれらの施策を、各独占体に任せるのではなく政府が先頭に立って、金もふんだんに投じて強行しようというのです。いま岸田のもとで「新しい資本主義」の名において、失業と低賃金と極限的な労働強化が強いられようとしているのです。

だがこの時に、「新しい資本主義実現会議」という政府の審議会に招かれ喜び勇んで参加したのが、「連合」会長の芳野なのです。彼女は、「構造的賃上げ」と銘打つこの政策に諸手をあげて賛成し、共に力を合わせて尽力することを、政府と独占資本家どもに固く誓ったのです。

いま「連合」指導部は、二三春闘にむけた方針において、「GDPも賃金も物価も安定的に上昇する経済へと転換していく」ために「国・地方・産業・企業の各レベルで〔政労使で〕問題意識の共有化に努め」る、などと語っています。まさに「連合」指導部は、政府や独占資本家と手を携えて日本経済の発展をはかることが春闘の目的・意義だと語り、これを「連合」の諸労組に押しつけようとしているのです。これこそは、労働者階級を支配階級に売り渡す以外のなにものでもありません。

他方、「全労連」中央を指導している日本共産党の志位指導部は、「政府の力で賃金の上がる国に」などと語っています。「大企業の内部留保」に課税し、その税収を中小企業支援などに回せば賃金が上がるなどというのです。これを岸田政権にお願いし、そのことに賃上げ要求を託しているのです。

だがしかし、政府や独占資本家にお願いして労働者階級の利害が実現されることなど決してない。まさに賃上げは、労働者階級の階級的に団結した闘いによってこそかちとるものだ。これは、全世界の労働者階級が血みどろの闘いをつうじてつかみとってきた共通認識ではないのか！

今ほど〈大幅な賃上げ〉を・しかも〈一律に〉かちとることを高く掲げてたたかうべきときはありません。

いま生活必需品価格が急上昇しているにもかかわらず、岸田政権は、公共料金の値上げや社会保障の保険料引き上げ・給付引き下げを強行し、労働者・人民を貧窮のどん底に叩き落としています。そればかりではありません。さらに岸田政権は許し難いことに、二〇二七年度には軍事費を対GDP比二%、現在の二倍の一一兆円にまで増額する号令を発しましたが、すでに述べたようにその財源の一部に、東日本大震災の復興特別所得税を回すことを謳いました。この岸田政権は今後、独占資本家の意を体して法人税についてはうやむやにし、所得税や消費税などの大増税をうちだしてくることは必至といわなければなりません。

われわれは、こうした日本型ネオ・ファシズム政権による大衆収奪の強化、大軍拡のための大衆課税強化を絶対に許してはなりません。

このような状況のもとで迎える二三春闘は、これまでにもまして政府の産業政策・労働政策そして安保防衛政策およびそれと結びついた財政政策に反対する内実をもって、したがって全労働者階級の統一した闘いとしてたたかうのでなければなりません。

すべてのみなさん！　＜大幅一律賃上げ獲得＞・二三春闘勝利のために奮闘しよう！　今日版産業報国会としての本性をむきだしにする「連合」を脱構築し、日本労働運動の戦闘的再生をかちとるためにも、共に全力で奮闘しよう！

Ⅳ　革マル派結成六〇周年——反スタ運動の更なる前進をかちとろう

すでに言いましたように、二〇二三年は、革マル派結成六〇周年にあたります。私たちは、革マル派の六十年の歩みをふまえ、その教訓をつねに生かし、さらに大きくはばたこうではありませんか！

私たちは、戦争の時代を革命的に突破する、この闘いを領導する唯一の部隊としてのわが反スターリン主義革命的左翼の戦列を、さらに拡大し強化していかねばなりません。そしてそのためにこそ私たちは、われわれの「ものの見方・考え方」を、革命的マルクス主義者にふさわしいものへと不断に・そして仲間たちとの切磋琢磨のもとで鍛えあげていかねばならない。いいかえれば黒田さんの「実践の場所の哲学」をたえず主体化し、これを実践しなければならないと思うのです。

そこで最後にこのことについて述べたいと思います。

黒田さんは、亡くなられる前の二〇〇一年から二〇〇六年にかけて、次のようなメモを残されました。そこには、大略次のようなことが書かれています。

（1）「諸々のことがらを情報として受け取ると、自分自身の思想性が高まらない。」

（2）「自分の思想をつくるということに想いを

馳せ、想像力を働かせて下向分析をする努力をせよ。」

（３）「（そうしないと）結果解釈主義どころか、客観主義的・説明主義的な頭脳構造になってしまう。」

（４）「特定の主体が、いかなる情勢のもとで、いかなる場において、何のために、どのように〜する。――というように文章は綴らなければならない。」

（５）「『いつ・どこで、誰が、誰にたいして・何にたいして、どのように……』ということを、たえず念頭に置いて、自分の頭をまわすようにしてください。」

こうした黒田さんの訴えをつねに忘れず、私たちはいわゆる「革マル派チックなものの感じ方・見方・考え方」を身につけるよう、たえず努力しなければならないと思います。そしてそのためには、仲間との討論が大切だと思います。また討論とともに、雑談、おしゃべりも大切だと思います。というのも重要なことは、直ちに答えを揃えることではなく、その過程でみんなの感じ方や考え方を出しあい、感心したり呆れたり時には怒ったりしながら、共に練りあげ共に成長していくことだと思うからです。

黒田さんのいわれる説明主義は、情勢分析の中だけでなく、私たちが不断におこなっている討論の中にもあらわれます。またなんらかの問題についてわが仲間の書く反省文の中にもあらわれます。

情勢分析においてあらわれる説明主義を克服することはたいへん難しいことだと思います。私も全然うまくいったためしがありません。だから何とかしようと思って、黒田さんの『ブッシュの戦争』などを読み、そこで黒田さんがどんな思いで書いているかということと、どのようなアプローチで問題に迫っているかといったことを読み取るようにしています。

他方、討論の中であらわれる説明主義――これを克服するには、心がけがまずは大切だと思うのです。

世の中では「説明責任を果たしていない」などという言葉がはやっているようですが、これは本当にバカげている。

たとえば私たちの仲間の誰かが何らかの誤謬をおかしたりしたとき、誤謬をおかした自分を説明したって絶対に成長はしませんよね。私たちは誤謬をおかしたり失敗をしたりすることによってのみ成長していくはずですし、しかもマルクス主義者たらんとしているわれわれは、誤謬の根拠を探っていく。そしてこれまでは必ずしも自覚していなかったことやうすうす思ってはいたが大きな欠陥とは考えていなかったことなどを、マルクス主義者としての自分の克服すべき問題として自覚していく。

　そのとき自分を説明したのではなんにもならない。説明をするということは、これまでの自分を肯定することでしかないからです。

　では、この説明主義を克服していくためにはどうすべきか？

　まず第一に、われわれは、現実を変革せんとする実践的立場に立たなければならない。この立場が形骸化していたのでは、なにごともはじまらないのだと思います。

　この立場がぐらついているとき、いいかえれば客体的限定を主体的限定へ転じさせる意志が薄弱で姿勢が受動的であるとき、「驚き・喜び・怒り」は欠如し、パトスも欠如する。すると現実問題への対応は非実践的でしらけたものとなってしまうのだと思います。

　第二には、知識集積の陥穽から脱却することも大切だと思います。知識集積の落とし穴から脱却しないと、ついには＜覚えた知識を尺度にした思考＞に知らず識らずのうちに陥っていく。するとさらには、「理論」のあてはめ解釈に陥没していく。

そうならないためには、やはり、「誰が・誰にたいして・何を・どのように……」というように考えるクセを身に付けないといけない。たとえば、誰々は、どんな場所で・どんな問題意識をもち・直面する問題にどのようにアプローチしているか、といったことを考えなければならない。

「早く答えが知りたい」という欲求にうちかち、右のようなことをじっくり考えていくのでなければならない。これを考えていくことが、自分の頭のまわし方を鍛えていく早道だと思うのです。

第三には、非対象的なものや非合理的なものをもたえず対象化していく努力をつづけること。このことを放棄すると、自己形成ができなくなる。そしてここでもまた、仲間の感想や意見を聞くことがとても大切なのだと思います。

第四には、感性的直観を磨くこと。感性が鈍磨すれば対象凝視・対象認識・対象分析はできなくなってしまう。そしてこれは、感動・関心・そして気魄《きはく》なしにはなしえない。これらをもちつづけることによってはじめて、豊かな発想も・問題意識も、湧き出てくるのだと思います。

蛇足ながら以上のことは、反革命にまで転落した北井一味のおぞましくもむごたらしい惨状を見るにつけ、改めて思うことでもあります。権力とたたかうことを知らず・大衆を組織することを知らず・恩を知らず・情を知らず・恥を知らず・人間を知らず・自分をふりかえることをまったく知らず、思想もイデーも知らない「血も涙もない異常人間」、それが北井です。彼の変質の最深の根拠は、「実践の場所の哲学」とはまったく無縁な俗物に転落したことにあると思うのです。

わが反スターリン主義運動はいま、世界に向かってさらにはばたかなければならない。第三次世界大戦・熱核戦争勃発の危機に覆われたこの世界の根底からの革命的転覆をめざして、今こそ粉骨砕身しようではありませんか。

先ほど楽屋で、本集会には全国から、はじめて参加する労働者・学生の仲間が多くいらっしゃると聞きました。そこで私は、そういう仲間たちに特に呼びかけたいと思います。

戦争と貧困と暗黒支配に覆われたこの世界は、この世界を真に変革しうる部隊の登場を待っています。それは、この世界の悲惨の秘密を熟知し、この世界の動向を誰よりも早く深く読み、そして来たるべきものを洞察しつつこれをみずからの変革的実践のイデーとして日々たたかっているところの、われわれ以外にはありません。

すべての仲間がわれわれと共に、世界の激動のなかにわが身を置いて、全世界の虐げられたプロレタリアと共に怒り悲しみ喜び楽しみ、来たるべき世界を開くためにたたかおうではありませんか。

最後に、黒田さんは、『実践と場所』全三巻の「まえがき」の最後に、こんな歌を詠まれました。

願はくば残夢の果ての金木犀

この歌について黒田さんは、こう言われたそうです。〝僕が居なくてもみんな頑張れよ、ということ。ひとつひとつの花は小さくとも、いっせいに咲いてあたり一面に強い香りを放つ金木犀のようにね〟と。

わたしたちは、激動の時代を生き・闘い・そして新たな労働者階級の未来を切りひらく、その決意をいま一度新たにしよう。そして老・壮・青うって一丸となって、いつまでも若々しいわが反スターリン主義運動の前進を切りひらくために頑張ろうではありませんか。

すべての労働者・学生のみなさん、戦争と圧政と貧困に苦しむ全世界の労働者階級・人民が、私たち反スターリン主義運動の怒濤の前進を待っています。

革マル派結成六〇周年の二〇二三年の闘いに、決意も新たにいざ前進しましょう！

平　川　桂

ウクライナから、ロシアから そして全世界から

わが同盟に熱いメッセージ

I 国際反戦集会以後

《ウクライナから》

ヴィタリー・ドゥーディン

ソツィアルニー・ルフ（社会運動）議長

親愛なる同志の皆さん。

たいへんありがとう。あなた方の行動は、ウクライナ人民のレジスタンスを力づけ、そして、ウクライナにおける左翼運動の発展のための場をつくる助けになります。（八月十日、国際反戦集会の報告にたいして）

『コモンズ』編集部

この大切な行事について簡潔な報告をいただき、また、われわれのメッセージを参加者に伝えていただき、どうもありがとう。ウクライナ人民のレジス

タンスに連帯するあなた方の立場に、あらためて感謝します。連帯をこめて。（八月九日、国際反戦集会の報告にたいして）

《ロシアから》

エフゲニー・バラノフ

〔ロシア共産主義者党機関誌の読者〕

ロシアの共産主義者より連帯を表します。

同志諸君！　帝国主義は打ち砕かれるだろう。

（十月一日）

アレクセイ・サーフニン

〔戦争に反対する社会主義者連合の代表〕

同志の皆さん、ありがとう。今こそ、連帯が本当にとても重要です。（十月四日）

Ⅱ　中央労働者組織委論文（英訳）に寄せられたメッセージ

《ウクライナから》

ヴィタリー・ドゥーディン

ソツィアルニー・ルフ議長

こんにちは！　力強い支援をありがとう！

あなた方の見解を心躍る思いで読みました。すばらしい歴史的裏づけとマルクス・レーニン主義的分析の真の魅力に溢れていると思います。

われわれは、ゼレンスキー当局の新自由主義的政策には反対の立場ですが、しかし、この戦争を始めたのは彼ではありません。

世界の左翼は、しっかりした基礎づけに立脚して団結しなければなりません。あなた方の見解は、この基礎づけを確固たるものにしてくれます。

P.S. キーウとリビウは相対的に安全ですが、ミサイル攻撃は日常的になってしまいました（少ない日でも一日一回）。しかし、ドニプロ市在住のわが友人たちは、もっと危険な状況におかれています。政治活動をつづけるに必要な安全性と可能性をウクライナ軍が保障すると、われわれは確信しています。連帯して。（十月二十一日）

『コモンズ』編集部

あなた方がこの論文を送ってくれ、そして、全面的な連帯を寄せてくれることに、感謝しています。（十月二十日）

《ロシアから》

オルタ・レフト

同志のみなさん、こんにちは！あなたたちの支援とゆるぎない革命的見解をありがとう！　尊敬の念をもって。（十月二十三日）

ルスラン・コスチューク

〔共産主義者党〕

ありがとう！（十月二十三日）

《イギリスから》

レボリューショナリー・マルクシスツ

ウクライナと日本の左翼の立場についての論文をありがとう。われわれは、この論文を、われわれの周辺の人々にも送りました。そのうちSから寄せられたコメントを諸君に知らせます。他にも賛同のコメントが来ています。（十月二十七日）

Sより
JRCLの論文を送ってもらい、たいへんありがとう。
こんなに洞察が深い論文は読んだことがない。非のうちどころがない。ソ連邦崩壊について書かれているところを読むと、JRCLは、プーチンのFSB体制を末期スターリン主義から出たデキモノと考えているようだ。キャサリン・ベルトンの『プーチンの国民』も同じような見解にもとづいている。この論文が五月に書かれ、その元々の日本語にもとづいて訳されたのだとしたら、最後の部分はゾクゾクするほど予見どおりだね。（十月二十六日）

《アルゼンチンから》

ＦＬＴＩ（国際レーニン・トロツキー主義派）

このウクライナについての諸君の論文は、世界の労働者階級に新風を吹きこむものであり、スターリン主義およびあらゆる改良主義の旗のもとにたむろする勢力との闘いの鋭い武器であると、われわれは考える。（十月二十八日着）

〔ＦＬＴＩは、われわれが送った中央労働者組織委員会論文の英訳「Together with Ukrainian People」を、さらにスペイン語に訳し、英語版・スペイン語版とも全文を彼らのウェブ・サイトに掲載している。〕

〔国際反戦集会以前のわが同盟の国際アピールにたいする海外からの反響については本誌第三二一号を参照されたい。〕

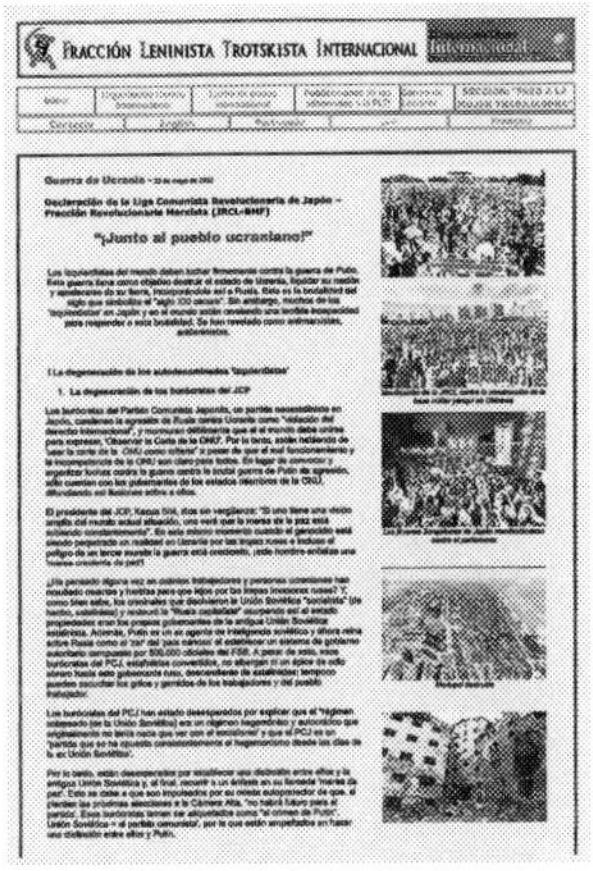

ＦＬＴＩはわが同盟の論文をスペイン語でサイトに掲載

12・4革共同政治集会 特別報告

革マル派結成から六十年を迎えて――
わが反スタ運動の原点を追体験し
さらに飛躍しよう

前　原　茂　雄

来たる二〇二三年は、革共同革マル派の結成から六十年であります。日本反スターリン主義運動の創始者・同志黒田寛一が逝去されてから十六年が経ちました。われわれは同志黒田の精神をわがものとして、このかん、いっさいの組織破壊攻撃をはねのけつつ、わが革マル派建設を着実にかちとってきた。私は、まずもってこの点を胸を張って確認したい。

Ⅰ　ウクライナ侵略と自称「左翼」の消滅

今、この瞬間においても断末魔にあえぐプーチンのロシアは、冬場をむかえたウクライナへの狂気のミサイル攻撃をくりかえしている。厳寒の地で人民の生活基盤である電気・ガス・水道のインフラ諸施設をことごとく破壊しつくそうとしている。まるでジェノサイドではないか。本当に許しがたい。

だが、このロシアのウクライナ侵略に直面して、いま日本の左翼・世界の左翼は惨たんたる状況を呈している。

スターリン主義との対決を放棄してきたプロ・スターリン主義的な自称トロツキストたちの多くは、プーチン擁護のオンパレードである。ソ連邦が自己崩壊しても、スターリン主義の問題をふりかえり・それと対決してこなかったすべての自称「左翼」は、ロシアによるウクライナ侵略に直面して右往左往し、自滅しはてた。

このような自称「左翼」の腐敗を弾劾しつつ、日本の地においてプーチンのウクライナ侵略に反対する闘いを創造しているのは、唯一わが革マル派とここに結集した革命的労働者・学生のみである。まさにそうであるがゆえに、ウクライナを初めとする全世界の戦闘的な左翼や労働者・学生から、わが革マル派にたいする熱い共感と連帯の声が次々に寄せられているのだ。われわれの任務は重かつ大である！

ついでに言っておこう。一昨年の革マル派政治集会でわれわれは、革共同第三次分裂の最終決着を宣言した。

今や残骸となりはて、ただの市民運動体のようなものと化しているブクロ派の残党もまた、狂ったようにプーチン擁護の醜悪な宣伝にうつつを抜かしている。〝この戦争はプーチンの戦争なんかではない。アメリカ帝国主義の対中国侵略戦争だ〞と!?〝ともかく悪いのはアメリカだ〞と。プーチンのプロパガンダそのものじゃないか。かつての左翼スターリン主義者の無残な末路をみよ！

このキチガイぶりにさすがについていけなくなって東北地方のブクロ派はごっそりと集団で脱落した。廃人シミタケをお飾りにして、消滅寸前の駄馬と自称「地域合同労組」にしがみついているだけのブクロ派の残骸は、細々とかこってきた地方組織が関西・九州・広島・そして東北と相次いで脱落し、わずかに関東周辺に点と点で棲息する市民運動体のようなものと化している。ブクロ派全学連なるものはいまやどこの大学にも存在せず、ネット上にのみ出現するバーチャル集団になりはてている。

革共同第三次分裂から六十年、わが党派闘争に追いつめられて権力の走狗集団に成り下がったブクロ＝中核派、わが党派闘争ならぬ党派闘争によって完全に瓦解したこのブクロ派の醜悪な姿については、もはや多くを語る必要はあるまい。

Ⅱ　反革命＝北井一味を粉砕せよ！

ところで、ウクライナ問題をめぐって、この気のふれた残骸ブクロ派とそっくりのことを言っている連中がいる。吹けば飛ぶような一握りの脱落者ども、権力の走狗と化した北井某の一味である。

〝ロシア・ウクライナ戦争は米露の代理戦争だ。ゼレンスキーは自国のブルジョアを守るために人民を戦場に駆りだしている。ウクライナ人民のレジスタンスなどというものはない。それへの支援を呼びかけている革マル派は第二インターと同じ祖国防衛主義だ〟と。

まさに人非人のタワ言だ！　この連中は、戦うウクライナ人民に真正面から敵対している。わが革マル派にケチをつけたいだけのこの連中は、ドンバスに入り浸っているスパイ糸色某にのせられて、プーチンの垂れ流す宣伝文句を、この日本の地で恥ずかしげもなくオウム返しにしているのだ。

ウクライナ人民は、いま重要なインフラ施設を破壊され、水・食料・医薬品・燃料などを奪われている。彼らは自らの命と国土を守るために、老いも若きも、女も男も、時には子供たちまでもが必死でレジスタンスを戦っている。いうまでもなくこの領土防衛隊の主軸は労働者と学生が担っている。この血を流し命を賭して戦っている人民にいっさい目をむけることもなく心を動かすこともない、最低限の人間的・労働者的感性も喪失しているのが、この輩なのだ。

人民が侵略者のミサイルや砲撃によって毎日殺されているこの血みどろの現実場とは無関係に、ただただ「国家にはブルジョア階級とプロレタリア階級がいて対立している」という図式を形式主義的にあてはめ、侵略軍と戦うウクライナ人民にむかって、「プーチンとではなくゼレンスキーと戦え」などとお説教を垂れているのが、この血も涙もない理論バカどもなのだ。かつて同志が謀略部隊に虐殺されても、涙もまったく見せずに、数分後には「自分の趣味」と称する「原稿書き」に没頭していた「異常人間」の今日の無残な姿が、これだ。

ウソと捏造で塗り固められた北井暴露本

この北井一味は、このかん権力のスパイ＝糸色望なる男に操られて、わが同盟の党内問題を次々と国家権力の前に暴露してきた。とりわけ『松崎明と黒田寛一　その挫折の深層』などという不埒な題名を付けた暴露本の出版こそは、この一味が国家権力の走狗に転落したことをしめす反革命の紋章にほかならない。まさにそれゆえにわれわれは、二〇二二年八月一日を期して、革命党としての矜持にかけて、この一握りの腐敗分子を断固として粉砕する闘争にうってでたのだ！

この北井の暴露本はすべてがウソと捏造でぬり固められている。それゆえにわれわれは、一九六五年の動力車9・20反合理化闘争をめぐるスローガン論争にかんして、北井の荒唐無稽な主張（同志黒田が「革命的労働運動主義」の提唱者であるといったそれ）のでっちあげ性、その犯罪性を、『解放』第二七四三、四五号の前原論文において徹底的に暴露してきた。（本誌本号に掲載）

北井がでっちあげたストーリーはこうだ。同志黒田は、松崎氏が組合役員としてうちだした「二人乗務獲得・助士廃止反対」などのスローガン、これを否定して、もっぱら「一人乗務反対・ロングラン反対」の左翼的スローガンだけを担当常任の本庄をつかって松崎氏に押しこんだ、と。黒田がそうしたのは、「独自の方針をもって革命的潮流として登場する」という左翼主義的な発想を黒田がもっているからだ、などと北井は抜かす。

だがこれでは、同志黒田は「社共にかわる第三の潮流としての登場」を唱えたブクロ官僚と同じだ、と言うにひとしいではないか。「北井よ、われわれは何のために第三次分裂をやったのだ」とわれわれはこの馬鹿者につきつけた。このわれわれの批判に、北井はグーの音もでない。

こいつがいま言っているのはただ次のことだけだ。――『「一人乗務反対！　ロング・ラン反対！」のスローガンをもってたたかわれた合理化反対闘争」という『日本の反スターリン主義運動　2』での黒田の表現、これについて前原は正しいとも間違っているとも言っていない。前原よ、この黒田が正しいのか、それとも「二人乗務獲得・助士廃止反対」を掲げた松崎が正しいのか、言ってみろよ、と。まるで小学生のケンカだ。これを滑稽きわまる一人相撲という。

同志黒田が『反スタ2』で言っている「一人乗務反対・ロングラン反対」というスローガン、これは、わが同盟が同盟としてうちだしたこの反合理化闘争のスローガンであり、今日からいえばいわばE_2にあたる。これにたいして、松崎さんが組合役員としてうちだしたのが「二人乗務獲得・助士廃止反対云々」であって、これはわが同盟の闘争方針を、同盟員が組合役員として提起するために具体化した指針いわばE_{2u}にあたる、と今日的には捉えかえすことができる。

ところが北井は、この二つを対立させて「どちらが正しいのか言ってみろ」と口から泡を飛ばしてほざいているわけなのだ。まさにデジタル思考、バカ丸だしの二者択一！　これだけで、この男が組織現実論とはまったく無縁な世界に転落してしまっていることを自己暴露しているではないか。

一九六五年秋から六六年にかけておこなわれたこのスローガン論議をめぐって、同志黒田は松崎さんの問題意識を共有するかたちで論議を掘り下げ、それをつうじて運動＝組織論や方針提起論を深化し、労働組合運動論の開拓の道筋をつくってくれた。こうした黒田さんと松崎さんとの∧対話と協働∨にもとづく組織現実論の開拓と労働運動へのとりくみについて、なんの関心も感慨ももたないのが、結果解釈アタマの理論バカたる北井なのだ。

第三次分裂に唾を吐きかける犯罪的妄言

一九六二年の動力車労組の運転保安闘争――これをめぐっても北井は、デタラメきわまりないことをほざいている。

六二年五月に三河島事故という一六〇名もの死者が出た大鉄道事故が発生した。この事故への対応をめぐって動労本部の民同右派系執行部が総辞職に追いこまれた。これに替わって成立した民同左派系の執行部は、事故の責任を労働者に（「士気のたるみ！」と）おしつける当局に抗議しつつ、「運転保安」を掲げて12・14ストライキを設定した。当局と交渉を重ねて組合の要求を一定程度獲得した（安全設備の獲得など）のちに執行部はストを中止した。この少数派の民同左派といわゆる「統一戦線」――今日的に言えば「組合内左翼フラクション」へと発展転化するところのもの――をつくっていた松崎氏は、この執行部の決定を中央委員として支持した。

ところが、これについて北井はほざく。「黒田は、わがメンバーが本部の役員としてストライキの中止の指令を発することを感性的に嫌ったのではないか」、「純粋プロレタリア性を求めるというのがあったのではないか」「という気が、私にはどうしてもするのである」と。挙げ句の果てに、「これでは〔松崎氏は〕労働組合の指導者としてはやっていけない」、黒田は松崎氏の「苦しみをつかみえないのだ、などと抜かす。

何も知らないくせにウソ八百をならべてデタラメなことをほざくな！

この動力車運転保安闘争こそは、われわれが第三次分裂をたたかいとった決定的な契機であり、そこで獲得した理論的・組織的教訓はわが革マル派結成の原点といっても過言ではない。

当初は「民同を批判するな」と叫んでいたブクロ官僚・野島三郎は、闘争終結時に一転して「ストを倒したら民同左派を組合場面で公然と批判しろ」と松崎さんたちに裸踊りを強要した。同志黒田と意志一致していた松崎さんは、この野島の指導を敢然と粉砕した！　これが歴史の真実である。

なんと北井は、この時の野島に同志黒田をなぞらえているのだ！　まさしく第三次分裂そのものに唾を吐きかける犯罪的言辞ではないか！

気が狂った北井は、わが革マル派の出発点・土台を築いた第三次分裂における同志黒田と同志倉川としての松崎氏による断固たる組織内闘争を、この革マル派の原点を、公然と否定したのだ。こんな輩が、「探究派」などと名乗ることをわれわれは絶対に許しはしない。

なぜ、この男はかくもデタラメなウソと捏造をやってまで、同志黒田への悪罵を投げつけるのか。それは、過去のおのれがおかした様々な組織指導上の誤謬と過ちを全面的に開き直り、自己正当化したいからである。そして、「おれは黒田をのりこえているのだ」という夜郎自大な妄想につき動かされているからなのだ。

みずからが犯した重大な誤謬・とりわけ二〇〇〇年代初頭に開花させた「異常な個別オルグ主義」の偏向について、自分は黒田の労働運動推進における混迷と欠陥をのりこえる偉大な実践をなしたのであって、その実践的意義を理解できない黒田から潰されたのだ、などという黒を白と言いくるめる破廉恥な物語をつくって全面的に居直っているのが、この卑劣な男なのだ。

みずからの誤った組織指導によって一体いかなる悲惨な現実がうみだされたのか。この男には、こういうことをまじめにふりかえる意志も感性も倫理性もない。こういう人間を「人間の屑」といわずして何というべきか！

わが革共同革マル派は、吹けば飛ぶような一握りの脱落分子でありながら、「探究派」などという名前を勝手に僭称しているこの走狗＝北井一味を、革命党としての矜持にかけて、すみやかにひねりつぶすことをここに宣言する。

Ⅲ　革共同第三次分裂の意義をかみしめ組織現実論の再主体化を！

革マル派結成から六十年を迎えるにあたってわれ

われわれは、同志黒田や同志倉川らの偉大な先達によって導かれてきたわが革マル派組織建設、その世界に冠たる革命的質をしっかりと噛みしめ踏み固めるのでなければならない。

A　わが同盟の労働者的本質について

まず第一に、わが同盟の労働者的本質について。

同志黒田は、わが運動はその出発点から、一九五七年の国鉄新潟闘争における代々木共産党の裏切りを直接的に体験させられた国鉄労働者の最も戦闘的で左翼的な部分と結びついていたと述べ、そのうえで次のように言っている。

『労働者の党』と信じこんで入党したその『共産党』に彼ら自身が裏切られたというこの現実の事実と、そのまえの年のハンガリアの血の動乱の生々しい経験とその衝撃が、国鉄の戦闘的労働者のからだの内部で結合された……。国鉄労働者のこの苦い体験の理論的結晶化とスターリニズムからの訣別のための思想闘争と学習活動に、われわれは積極的に参加し、相互のイデオロギー闘争と革命的主体性を確立するための闘いを通じて、日本における反スターリニズム革命的共産主義運動の組織的母胎はかたちづくられたのである。これこそが、日本革命的共産主義者同盟の労働者的本質を決定したところのものである」、と（『日本左翼思想の転回』五三頁）。

これは、どういうことか？

機関車労組（動力車労組の前身）に加入して未だ二年目の松崎さんは、一九五七年の国鉄新潟闘争における日共系指導部の裏切りに直面し、これに憤激をもって対決した。彼はこの事態を、ハンガリア労働者の武装蜂起をクレムリン官僚がタンクで圧殺した問題と重ね合わせて思弁した。「社会主義ソ連とは一体なんなのだ」と問うなかで『探究』に出会い、同志黒田との交流が開始された。松崎氏は、このとき『探究』第一号を「こんなベッピン見たことない」と言って仲間にみせてまわった、と自身で語っておられた。

このように同志黒田が創成したわが日本反スタ運動は、その出発点において松崎さんをはじめとする国鉄戦線の同志の獲得から始まり、これを実体的根拠にしてみずからを発展させてきたのである。

わが同盟のこの労働者的本質は、不断に場所的に、わが革マル派組織建設において再生産され再創造されている。このことを私は、誇りをもって確認したい。

B　組織現実論の産みの苦しみ

第二に、わが組織現実論を同志黒田を初めとする先達はどのようにつくりだしてきたのか、その産みの苦しみの過程をわれわれはしっかりと追体験しなければならない、ということである。

松崎氏は、宮崎学のインタビュー本（『松崎明秘録』）のなかで、黒田の組織論は「多分に私の実践を材料として、基礎づけ理論づけたという面がある」と語っている。これは『組織論序説』の「革命的労働者の組織化の論理」を思いうかべてのものだ。

同志黒田は、松崎さんの一九五八〜五九年頃の組合運動のとりくみ、そこでの自己形成の努力、先進的な仲間との学習会づくりの奮闘――これらを聞き、学びながら、それを理論化したといえる。まさしく、二人の〈対話と協働〉によって右の「革命的労働者の組織化の論理」は書かれたのである。

このように同志黒田の前衛党組織論、とりわけ組織現実論は、動労や国労の同志たちとの組合運動の組織化をめぐる討論を基礎にして開拓されてきたのである。

さらに二つの点について述べておきたい。

運動＝組織論の開拓

ひとつめは、一九六二年十二月の動力車労組の運転保安闘争の組織化において、当時の革共同政治局内多数派すなわちブクロ官僚による二段階戦術のもちこみを動労内のわが同志たちは粉砕してきたこと。この二段階戦術の根底にある大衆運動主義の剔出とその克服のための内部論議をつうじて、運動＝組織論が創造されてきたということである。

「ストをやる気になっている時は民同右派といえども批判するな」「ストを倒した時点で、民同右派だけでなく民同左派をも組合場面で批判しろ」――このようなベッタリズムと裸踊りを松崎氏らに強要したのが、当時の革共同政治局員・野島三郎であり、このようなやり方をわれわれは「ブクロ官僚式の二段階戦術」と呼んできた。

「戦闘的労働運動の防衛のための戦術の精密化」と称して提起されたこのような二段階戦術を、同志黒田は、「組織戦術の労働運動場面への絶えざる貫徹をないがしろにする大衆運動主義への転落」として厳しく批判した。そして、このようなブクロ式二段階戦術の批判をつうじて、組合運動の背後で展開される組織活動・フラクション活動についての理論を解明し深めてきた。

のちに黒田さんが「ヒョータンからモミ」（『平和の創造とは何か』一八三頁）と言っているところの＜同盟（員）の同盟（員）としての独自活動、組合員としての同盟員の組織活動（典型的にはフラクション活動）、同盟員の組合員としての独特な組合活動＞の論理である（『解放』第四～六号、一九六三年五月、山本勝彦論文）。この運動＝組織論の骨組み（1・2・3の活動の論理）は、二段階戦術をうちだす根拠が大衆運動主義にあることを暴きだし、それを克服するために、わが同盟の組織戦術を労働運動場面にいかに貫徹するのか・その主体的論理を明らかにする、というかたちで理論化されてきたのである。

動労の運転保安闘争は、日本労働運動史上画期をなす闘いであった。「重大事故」をすべて労働者の責任にしてきた国鉄当局の経営施策その姿勢を根本的に問いただしたのだからであり、このような闘いをそれまでの労働運動指導部はまったくやってこなかった。ストライキを倒したとはいえ、それをつうじて、動労組合組織の強化、またわが組織的基盤の強化拡大をかちとった。

まさにそれゆえに同志黒田は次のように述べているのである。――「たとえこれらの闘いは挫折したとはいえ、この反合理化闘争のただなかでわれわれが提起した闘争目標と闘争内容の質的高さは記録されなければならない」(『反スタ2』一二三頁)、と。

方針提起論・大衆闘争論から労働運動論へ

ふたつめは、一九六五年のかの9・20反合理化闘争のスローガン論争をめぐる反省論議をつうじて、すでに開拓されつつあった運動＝組織論――それは『解放』第四〜六号の山本論文において基本的骨組みは確立されていたといえる――をより豊かにするとともに、労働運動論追求の足場を築いてきたということである。

スローガン論争はどのように教訓化されてきたのか？

松崎さんは組合組織の現状（民同右派が多い）ならびに一般組合員の意識状況（乗務員以外の職場の組合員の関心の薄さ）の分析にふまえて、この現状を変革する問題意識をもって「二人乗務獲得、……事務近代化反対、検修合理化反対」などの組合の運動方針をうちだした。

だが当時の国鉄担当常任メンバーであった本庄武は、この松崎さんのうちだした方針の意味、その実践的問題意識を理解し共有することができなかった。「一人乗務反対」の左翼的方針で青年部の活動家を固めて松崎さんにこのスローガンを採用するようにゴリ押ししてしまった。そのさい本庄は、「青年部をフラクション的に機能させる」という考え方をもっており、組合運動場面での同盟員の諸活動を論じる際に「同盟員が組合員としていかに活動するのか」ということが欠落する傾向が根強くあった。

同志黒田は、この本庄の考え方は「フラクションとしての労働運動」的傾向であるとして、それを運動＝組織論的に切開した。かくして、この反省論議をつうじて、運動＝組織論をより豊かに発展させたのである。

同時に、このスローガン問題の切開を通じて、わが同盟が同盟としてうちだす方針を・わが同盟員が組合（役）員たるの資格において組合の方針としていかに具体化するかにかんする論理を掘り下げ、方針提起論を深化してきた。さらに、労働運動論そのものの解明へと向かったのである。

また、この闘争の過程で「社共をのりこえた一人乗務反対の立場」というスローガンを青年部のフラクション・メンバーがうちだした。この問題をめぐっての論議は、大衆闘争論＝〈のりこえの論理〉の解明にとって大きな意味があった。同志黒田は、「社・共の何をのりこえるのか、運動か？　運動を規定する方針・理論か？　社・共の組織か？」というように討論を導いてくれた。こうしていわゆる「のりこえの三形態」ということが明らかにされたのである(『組織現実論の開拓』第四巻、「社共のりこえの論理について」)。

一九六六年二月から五回にわたって同志黒田が国鉄戦線の同志たちと開いた労弁研(労働者弁証法研究会)では、右のような諸問題が中心的に論議されたのであった。

このように、わが労働者同志たちの労働運動へのとりくみとそれを媒介としての組織建設、これを現実的基礎にして開拓されてきたのが組織現実論なのである。まさしくそれは、マルクスやレーニンが追求すべくして追求しえなかった未踏の領域――組織実践の実践論的解明にほかならないのであって、わが日本反スタ運動の世界に冠たる独自性と優位性をさししめすものなのである。

C　内部思想闘争の活発な展開を

最後に、スローガン論議における内部対立をめぐっては、組織建設論的な角度からも反省論議が進められたということについても、一言のべたい。

担当常任の本庄は、左翼的なスローガンを松崎さんに押しこむために、松崎さんとの真正面からの思想闘争を回避して、若い活動家をみずからの考え方で固めて批判させるという「突き上げ」型の指導をしてしまった。その根拠として、彼は、論争問題――反合理化闘争の闘争戦術の内容、組合場面への提起の仕方などを理論的に掘り下げる問題意識が弱く、理論的武器もおそろしく貧しかったのである。

この事態を同志黒田は、「たとえエピソード的なものでしかなかったとしても」としつつも、「発生した若干の内部対立を解決するための組織内闘争において部分的にみられた政治技術(主義)的な対応」(『反スタ2』二〇五頁)と規定し、その克服のための論議を組織したのであった。そうした組織建設論的な反省論議をつうじて、闘争スローガンをめぐるこの内部対立は、「わが同盟組織の全体としての質的強化をかちとるための跳躍台へと転化されたので

ある。」(同、二〇二頁)

思えば革共同第三次分裂は、政治局内多数派の官僚たち（後のブクロ官僚ども）による組織内思想闘争への政治技術主義のもちこみとの対決を通してかちとられたのであった。同志黒田を先頭とするわれわれは、彼らが革共同の基本路線をねじ曲げ、大衆運動主義・労働運動主義をもちこんできたことにたいして断固たる闘争を組織的に展開した。これにたいしてブクロ官僚どもは、上から官僚主義的に思想闘争を封殺しはじめた。われわれはこれをはねのけ、組織的理論＝思想闘争を分派闘争へと押し上げ、第三次分裂をかちとってきた。このただなかにおいてわれわれは、組織内思想闘争の生動的な展開こそが革命党建設にとっての生命線であると確認し、この不動の確信にもとづいてその後の革マル派建設を進めてきたのだ。

まさに組織の内部で生みだされたあらゆる問題や対立をめぐっての内部思想闘争を、上からも下からも相互に活発に繰りひろげること。これこそが、同志黒田や同志倉川としての松崎氏がつくりだしてきたわが革マル派の誇るべき党風であり伝統なのである。

結成六十年を迎えるこんにち、このような党風と伝統をしっかりと引き継ぎ生き生きと発展させるべきことを、私は、すべての同志・仲間たちに呼びかけたい。

結集された労働者・学生諸君！

いっさいの組織破壊攻撃をはねのけ、わが反スタ運動の前進のために、老いも若きも力を合わせて粉骨砕身頑張ろうではありませんか。そのためにも革マル派建設六十年の歩みをつうじて開拓されてきた組織現実論を追体験的に再主体化し、またこの組織現実論の背後にある哲学、つまり黒田の〈場所の哲学〉をわがものとすべく、ともに努力しようではありませんか。

暗黒の現代世界を根本的にひっくりかえすために、ともに奮闘しようではないか。ガンバロー！

「安保三文書」の閣議決定を弾劾せよ！

昨二〇二二年十二月十六日、岸田政権は、「国家安全保障戦略」、「国家防衛戦略」、「防衛力整備計画」の「安保三文書」の閣議決定を、労働者・学生・人民の怒りの声を傲然とふみにじって強行した。〝戦争司令部〟たる国家安全保障会議（NSC）および国家安全保障局（NSS）が主導し「国家安全保障戦略」を中軸として策定した、この新たな軍事戦略文書は、近い将来における「台湾有事」および「朝鮮半島有事」に備えて、日本国家をアメリカとともに武力攻撃を遂行しうる軍事強国へと一挙におしあげる戦争計画であり戦後史を画する一大反動攻撃いがいのなにものでもない。この暴挙を怒りをこめて弾劾せよ。

この新たな軍事文書策定と同時に岸田政権は、改憲策動に全体重をかけてうってでている。「戦力不保持・交戦権否認」を明示した現行憲法第九条破棄と緊急事態条項創設を核心とする改憲策動を断固として打ち砕け！

今こそ、労働者・学生・人民の反戦反安保・改憲阻止の炎を全国で燃えあがらせ、岸田政権を包囲せよ！

＜中国主敵＞の日米共同戦争計画の策定

今回発表された軍事戦略文書の第一の特徴は、中国・ロシア・北朝鮮を日本国家を脅かす実質上の〝敵国〟として明示していることである。

「安全保障に関連する分野の諸政策に戦略的な指針を与える」とされる国家安全保障戦略においては、中国の軍事的動向について「これまでにない最大の戦略的な挑戦であり、我が国の総合的な国力と同盟国・同志国等との連携により対処すべき」と謳っている。ロシアについては、「欧州においては安全保障上の最も重大かつ直接の脅威」であり、インド太平洋地域においては「中国との戦略的な連携とあいまって安全保障上の強い懸念」と規定されている。また、北朝鮮については「従前よりも一層重大かつ差し迫った脅威」と規定されている。

ロシアのウクライナ侵略戦争開始から十ヵ月を経たこんにち、現代世界は、新型コロナ・パンデミックのもとでますます鮮明となった〈米―中・露激突〉の構造への推転の・その新たな危機的局面を迎えている。「一超」軍国主義帝国アメリカとネオ・スターリン主義中国との力関係が、いままさに逆転するという新たな局面に突入したのだ。いまや、世界は熱核戦争と第三次世界大戦の暗雲に覆われている。このまっただなかにおいて、南シナ海および台湾・尖閣諸島をめぐる軍事行動を一挙にエスカレートさせている中国（ロシア・北朝鮮）に対峙する最前線にたっている日本の岸田政権は、「敵国」と断じた中国の基地や艦艇を攻撃しうる体制をアメリカのバイデン政権と一体となってつくりあげることに血道をあげている。まさしく、戦争前夜とでもいうべき事態ではないか！

ネオ・スターリン主義中国の習近平政権は、かの米下院議長(当時)ペロシ訪台への対抗を名分として強行した一大ミサイル演習(昨年八月)いこう、事実上の中台境界線となってきた「中間線」を越えての中国軍戦闘機の飛行をかつてないハイペースでくりかえしている。しかも、東シナ海および日本海での中国・ロシア合同の海空部隊が「パトロール」という名の準軍事行動を頻繁にくりかえしている。

この中国（およびロシア）の軍事的動向に直面して、バイデン政権は、「われわれは彼〔習近平〕が二〇二七年の開戦にむけて準備するように指導したことを知っている」(昨年十二月、CIA長官バーンズ)などと危機意識をむきだしにして叫んでいる。中共第二十回党大会において総書記三期目の座を手中にした習近平が、人民解放軍創建百年(二〇二七年)に合わせて台湾併呑にむけた策動を強化するであろうことへの警戒心を高ぶらせているのが、アメリカのバイデン政権なのだ。

このアメリカ帝国主義がいまや軍事的にも経済的にも力の喪失を露わにしているもとで、日本国軍を米日統合軍の一翼を担う戦闘部隊として強化し、日本国家を「戦争をやれる国」へと改造することを策しているのが、日本の岸田政権なのだ。

「専守防衛」の公然たる破棄と日米軍事同盟の攻守同盟化

第二の特徴は、「反撃能力を保有する」という名において敵基地先制攻撃体制を構築することを現時点の軍事戦略の柱としていることである。それは、歴代政府が現行憲法第九条の「戦争放棄」条項を遵守しているかのようにみせかけるために建前上ではあれ標榜してきた「専守防衛」なる理念を公然と破棄したことを意味する。

岸田政権が、「敵国」の基地や艦艇など軍事中枢を先制的に破壊する軍事攻撃体制を構築することをこそ狙っているのは明らかである。この政権は、「相手領域において、我が国が有効な反撃を加えることを可能とするスタンド・オフ能力」を保有することを「国家安保戦略」に明記している。また、「防衛力整備計画」では、二〇二六年～二八年に12式地対艦誘導弾を射程一〇〇〇キロメートルの地上発射型、艦艇発射型、航空機発射型に改造することや、高速滑空弾(二五年度)、極超音速誘導弾(三一年度)の研究開発を急ピッチですすめることや、巡航ミサイル「トマホーク」をアメリカから購入することをぶちあげているのである。

歴代自民党政府は、いわゆる「専守防衛」とのつじつま合わせのために、安保条約第五条にもとづく日米共同軍事作戦における日本国軍と米軍との役割分担を「盾と矛」などと正当化してきた。だが、いまや日本国軍じたいが、敵国の領域にたいして直接的に攻撃を加えるという、いわば「矛」の役割を担うことを明確にしたのである。この意味において、この戦略文書の策定は、日米軍事同盟を名実ともに対中国の攻守同盟へと改変するという宣言にほかならない。

「日米首脳会談反対！」全学連が首相官邸に断固怒りの拳
「安保三文書」を手土産にした岸田の訪米弾劾（1月13日）

「国家安保戦略」において述べたてられているところの、「武力攻撃が発生していない段階で自ら先に攻撃する先制攻撃は許されない」などという文言は、労働者・人民を欺瞞するものでしかない。

岸田政権は、安保関連法＝侵略戦争法——万余の労働者・学生・人民の反対の声をふみにじって二〇一五年に安倍政権が強行採決したそれ——の「武力行使の三要件」にもとづいて敵基地への攻撃をおこなうことを明言している。すなわち、岸田政権・NSCが中国（およびロシアや北朝鮮）の動向を「存立危機事態」と判断するならば、たとえ日本が直接攻撃されていなくとも、「集団的自衛権の行使」の名のもとに敵の艦船や軍事的中枢を先制的に攻撃することができる体制を構築しようとしているのだ。

今日版国家総動員体制の構築

第三の特徴は、現存の日本国家を改造し〈軍事強国日本〉を実現するために、内外諸政策のいっさいをそれに従属させることを明示していることである。「安保戦略」において、「総合的な防衛体制の強化」の名のもとに「外交力」「防衛力」「経済力」「技術力」「情報力」などの「総合的な国力」を総動員することが謳われていることにそれはしめされている。〔こうした戦略は、アメリカの「統合抑止戦略」——軍事・外交・経済・技術などの国力を動員すると同時に同盟国の力を利用するというそれ——とリンクしている。〕

岸田政権は、「台湾有事」に備えて、軍事力の強化のみならず国内産業・行政諸機構・研究教育機関など国内のあらゆる分野における戦争協力体制を創出することを策している。その企むところは、いわば今日版国家総動員体制の構築とでもいうべきものにほかならない。

現にこの軍事戦略文書には、「有事」に備えて、エネルギー・食料などの「資源の確保」、地方自治団体・企業・大学などの研究機関との「安全保障分野」における「連携の強化」なるものが明記されているのである。

とりわけ、岸田政権は、軍産学共同の軍事研究をおしすすめる体制を飛躍的に強化することを策している。

こんにち、習近平政権が「軍民融合」の名のもとに最先端半導体などの技術を軍事転用して大軍拡に突進していること、これに対抗して岸田政権は、米・豪・韓などの諸国家・企業との軍事技術研究をおしすすめるとともに、宇宙・サイバー・AI・量子暗号通信・半導体などの軍民両用の最先端技術をめぐる中国との熾烈な争闘に打ち勝つために、国家（NSC）主導で大学・研究機関・民間企業の研究者を総動員しての軍事研究を進めようとしているのである。まさにそれは、高等教育機関としての大学・大学院を、民間企業とともに軍事研究の拠点たらしめるものにほかならない。

国家プロジェクトとしての軍需産業育成と兵器生産・輸出の一挙的拡大

第四は、「継戦能力強化」の名のもとに、「国防を担うパートナー」としての軍需産業を、国家が公的資金を投入して育成することをぶちあげていることである。〝軍需生産は収益性に低い〟とみなした独占体資本家どもが次々にこの産業分野から撤退していること、このことに政府・権力者どもは危機感を募らせている。

岸田政権はいま「新しい資本主義」の名のもとに、国家プロジェクトとして、AI・量子技術・半導体などの先端産業とともに、軍需産業の育成をおしすすめようとしている。「防衛力そのものとしての防衛生産・技術基盤」だの「持続可能な防衛産業の構築」だのと称して、国家資金を投じて軍需産業の振興を進め、兵器生産の飛躍的増大をなしとげんとしているのである。

具体的には、「防衛装備品の海外への移転」＝武器輸出の促進であり、兵器・弾薬製造工場の〝国有化〟である。さらには、「防衛体制」の「持続性・強靱性」の名のもとに弾薬生産能力の向上、火薬庫の確保を進めることを声高にさけんでいるのである（「国家防衛戦略」および「防衛力整備計画」）。

岸田政権は、ハイテク兵器・装備の購入・生産などの大軍拡をおしすすめるために、二七年度には、GDP比二％（一一兆円）にまで軍事費を増額することを『国家安保戦略』に明記している。五年間（二三〜二七年度）で四三兆円にのぼる巨額の軍事費を計上しようとしているのであり、この大軍拡の財源を確保するために、「安全保障」のための「経済財政基盤の強化」などと称して労働者・人民から血税をしぼり取ることを策しているのだ。

しかもなんと、東日本大震災の復興特別所得税の税収を軍拡の財源として横流しすることをまで企んでいるのが岸田政権なのだ。断じて許すな！

こうして岸田政権が策定した三つの軍事戦略文書は、日本の軍事強国への飛躍にむけての重大な区切りを画するものにほかならない。同時にそれは、NSC専制の今日版国家総動員体制＝日本型ネオ・ファシズム支配体制の飛躍的強化にむけた号砲にほかならない。そして、軍事研究・軍需生産の国家をあげての拡大＝経済の軍事化を一挙に促進するものにほかならない。

すべての労働者・学生諸君！　今こそ、反戦反安保・改憲阻止の闘いの爆発をかちとれ！　〈今日版国家総動員体制の構築・強化反対〉〈経済の軍事化阻止〉の闘いを断固としておしすすめよう！

（二〇二三年一月十日）

「リスキリング」とは何か？

飛鳥井千里

乱発される「リスキリング」

このかん岸田政権や独占資本家どもは、やたらと「リスキリング」という言葉を乱発している。

たとえば岸田は言う。――「労働者に成長性のある産業への転職の機会を与える労働移動の円滑化。そのための学び直しであるリスキリング。これらを背景とした構造的な賃金引き上げの三つの課題に同時にとりくむ」、と（「新しい資本主義実現会議」二〇二二年十一月十日）。

だが彼らが喧伝している「リスキリング」たるや、「学び直し」などという生やさしいものではない。独占体とブルジョア政府が、「デジタル革命」＝DXや「脱炭素革命」＝GXなどと銘打った産業構造の大転換を強行するために、既存の労働者にたいして新たな産業に対応できるスキル（技能・熟練）を習得することを強制し、そのうえで選別する、ということなのだ。この選別によってふるい落とされる多数の労働者たちは、無慈悲に路頭に放りだされるか、これまで以上に低賃金の不安定雇用あるいは「個人請負」などの過酷な働き方を強いられるのである。

革共同 革マル派機関紙　（週刊新聞　通常6頁　300円）

『解放』購読のおすすめ

下記の「定期購読申込書」に必要事項をご記入のうえ料金とともに現金書留にて郵送してください。郵便振替でのお申し込みの際は、通信欄に必要事項を記載してください。

定期購読料金（送料共）　＜料金は前納制です＞

	第三種郵便（開封）	普通郵便（密封）
1ヵ月　（4回分）	1,452円	1,760円
6ヵ月（24回分）	8,712円	10,560円
1年間（48回分）	17,424円	21,120円

見本紙を無料進呈！ メールまたは葉書に「見本紙希望」とご記入のうえ、住所・氏名・電話番号を明記し、解放社宛にお送りください。最新号を一部、送呈いたします。〈E-mail　jrcl@jrcl.org〉

申込先・電話番号	郵便番号・住所	振替加入者名	口座番号
解放社 03-3207-1261	162-0041 東京都新宿区 早稲田鶴巻町525-3	解放社	00190-6-742836
北海道支社 011-717-2890	001-0037 札幌市 北区北37条西7-4-10	解放社北海道支社	02720-6-36757
北陸支社 076-298-7330	921-8155 金沢市 高尾台2-243	解放社北陸支社	00700-0-14211
東海支社 052-332-3327	460-0012 名古屋市 中区千代田3-18-30	解放社東海支社	00810-7-42079
関西支社 06-6320-3356	533-0014 大阪市 東淀川区豊新5-6-5	解放社関西支社	00910-5-316209
九州支社 092-561-7400	815-0041 福岡市 南区野間2-9-12	解放社九州支社	01760-9-17074
沖縄支社 098-879-6814	901-2133 浦添市 城間3-26-13	解放社沖縄支社	01780-7-119982

切り取り線

定期購読申込書

（〔 〕内は、○で囲ってください。『解放』は毎週月曜日発行です。）

『解放』を ___ 月・第 ___ 週より〔1ヵ月・6ヵ月・1年間〕〔開封・密封〕で申し込みます。

住所：〒

氏名：　　　　　　　　電話番号：　（　　　　）

ＤＸに対応する労働力の異種的異質的転換

「リスキリング（Re-skilling）」とは、直訳すれば「再―技能化／再―熟練化」である。

政府・経済産業省の文書（『日本経済二〇二一―二〇二二』）のなかでは、それは「新しい職業に就くために、あるいは、今の職業で必要とされるスキルの大幅な変化に適応するために、必要なスキルを獲得する／させること」というように定義されている（元々は、リクルートワークス研究所による定義）。

このように定義されている「リスキリング」は、「スキルアップ」（技能・熟練の向上）とは明確に異なる概念である。

われわれの観点からとらえ返せば、「スキルアップ」とは、労働者が一定の職種（職務）に従事しつづけるなかでのその技術性（技能性）あるいは熟練度の向上をさす。つまり同一種類の労働をおこなう労働力の技術性（異質性）を高めることにかかわる。これにたいして「リスキリング」とは、ある労働者がこれまでとは異なる職種（職務）の労働をおこなうるようにみずからの労働力の質をつくりかえる、ということにかかわる。

たとえば、これまで工場で機器の組み立てをおこなっていた労働者が、オフィスでパソコンを使ってデータ処理をできるような異種的な技術・技能を習得する、というばあいがそれである。これは、労働力の異種的な転換あるいは異種的異質的な転換にかかわると言ってよい。

こうした「リスキリング」という言葉が盛んに使われ始めたのは、いうまでもなく、こんにちの世界的なＤＸやＧＸの進展とそれをめぐっての苛烈な競争に対応している。

アメリカや欧州、さらに中国や韓国に比してもデジタル革命に大きく遅れをとっている、というように危機感を募らせているのが、日本政府と独占資本家どもである。それゆえに彼らはいま、日本資本主義の生き残りのためにＤＸ・ＧＸに対応した産業構造の大転換を加速しており、それにともなって企業内における職種・職務の種類と編成を劇的に改変しようとしている。

新たに生みだされる産業・業種、とりわけデジタル関連の諸産業部門――そこではたとえば「仮想通貨(暗号資産)」とか「メタバース」とかといった新奇なサービスが次々に生みだされている――では、それらの業務を担いうる新たな種類の技術的・技能的労働者(たとえばデータサイエンティストやAIエンジニアの類)が絶対的に不足している。

そうした新しい種類の技術的・技能的労働者を大量に育成し確保するためには、旧来の日本型雇用慣行のもとでの労働者の育成方式ではまったく不可能である、と資本家たちは考えている。これまで日本の大企業は、新卒一括採用によって労働者を雇用し、雇用した労働者に長期継続雇用(いわゆる終身雇用)の保証を与えたうえで、主としてOJT(オン・ザ・ジョブ・トレーニング)などの企業内教育によってその技術性を高めたりジョブ・ローテーションなどをつうじて異種的多能性を付与していく、といった労働力の育成方式を採ってきた。

だが、こんにちのDX・GX下の産業大転換の時代には、このような企業別=企業内の育成方式ではまったく追いつかない、と彼らは考えている。そうした方式では必要な大量の「デジタル人材」がつくりだせず、企業間の奪い合い・横取り合戦になってしまう。それでは、そうした人材の育成を国家プロジェクトとしておこなっている諸外国にとうてい太刀打ちできない。――このような危機感を強めているのが、岸田政権であり独占資本家どもなのだ。

それゆえにこの政権は、絶対的に不足しているこの新たな種類の技術的・技能的労働者をば、――一方では「教育のデジタル化」をもテコとして学校教育をつうじて育成するとともに――旧産業・旧業務に従事してきた既存の労働者のなかから、その再教育・再訓練をつうじて大量につくりだそうとしているのであって、これを彼らは、「リスキリング」と呼んでいるのである。

しかもこうした大規模な「リスキリング」を、各企業にまかせるのではなく、膨大な国費(「五年間で一兆円」)を投じて政府が率先して企業横断的に推進する、と岸田は宣言している。各企業が必要とするいわゆる「デジタル人材」を企業の外部から随時〝調達〟できるような社会的仕組みをつくりだすことを策しているのである。それによって、新卒一括採用を入り口とする終身雇用制などの日本的雇用慣行からの脱却を進める諸企業を支援しようとしているのが、岸田政権なのである。

労働者の選別と〝下層〟の切り捨て

岸田は、こうした大規模な「リスキリング」促進政策が、その裏面において同時に、数多の労働者をいわゆる「成長産業」の外部に放りだすものである、ということを意図的におし隠している。

DX・GXに対応するための産業構造の急激かつ抜本的な再編は、当然にも「斜陽産業」と化すであろう多くの産業において企業倒産や部門閉鎖を生みだす。また既存の産業・企業が存続したとしても、AI（人工知能）やロボットの導入によって多くの職務が消失する、と資本家は予測している。こうした消失する産業や職務に従事してきた労働者たちをDX・GX関連の諸業務に転換させるために再教育し、「適応できるか否か」を判別して再配置する。――これが資本家どもの言う「リスキリング」であって、彼らは、労働者たちにたいして、「生き残りたければ自主的にリスキリングに励め」と強制する。そのことは他面において、「適応できない」と彼らが判定した大量の労働者については容赦なく首を切るということにほかならないのである。

まさにそれゆえにこそ岸田は、「労働移動の円滑化とリスキリングに同時にとりくむ」と言っているのである。「労働移動」の名において、資本家どもが「不要」とみなした労働者たちに「転職」を強要して解雇する。こうした「労働移動」を「円滑化」するために、この政権はいま、「解雇の金銭救済制度」などの解雇規制の緩和を急いでいるのである。

右のような岸田政権の新たな労働政策は、すでに大きな賃金・所得の格差で分断されている日本の労働者たちの階層分化を、さらにいっそう拡大するものにほかならない。

「リスキリング」をつうじてDXに対応しうるような特定種類の技術性を獲得した労働者にたいして、企業は、その専門性や技術性に見合った・そして他社に横取りされないような高給を支払って自社に囲いこもうとする。他方で、企業から放りだされたうえに、企業横断的な「リスキリング」諸施策によってもDX関連の技術性・技能性を習得できないとみなされた数多の労働者たち、彼らにたいして政府は、DX関連を主軸としない諸産業や諸業務、すなわちデジタル化やロボット化が比較的困難であるがゆえに慢性的な「人手不足」に陥っている介護や農業、さらにはロボットなどを導入するよりは低賃金の労働者を使った方が「安上がり」と資本家がみなしている諸職種（清掃や警備など）への「移動」を奨励し、そのような方向での「リスキリング」を〝支援〟しようとしているのである。

だが、後者のような産業・業務部門に「移動」した労働者たちは、すでに低賃金で働かされている既存の労働者たちとの厳しい競争に晒され、みずからもまた低い賃金を強制される。しかも多くのばあい彼らは、もっと劣悪な労働条件と低賃金の非正規雇用で働くか、ウーバーイーツのようなスポット契約のギグワークで日々の生活をしのぐことを強いられるのである。

まさしく「労働移動の円滑化」と「リスキリング」と称する政府の政策こそは、日本の労働者階級を、高賃金の一握りのデジタル技術労働者たちと・超低賃金の非正規雇用労働者やギグワーカーたちとに二極分化させるかたちで再編成するものにほかならず、後者の労働者たちにたいしてさらなる貧窮を強制するものにほかならない。

「構造的な賃上げ」なるものの欺瞞

岸田が唱える「構造的な賃上げ」なるものは、DX・GX中心への産業構造の大転換とそのための「労働移動の円滑化」、それを可能とする新しい種類の技術的労働者の「リスキリング」による大量創造――そのような「構造」をつくったうえで、「生産性向上」に寄与するとみなした〝上層〟の労働者だけの賃金水準を引き上げる、ということにほかならない。

そしてそのためにもこの政権は、「年功制の職能給から日本に合った職務給への移行」なるものを後押ししているのである。

DXに必要な高度で専門的な「スキル」をもつ労働者を確保するためには高い賃金を支払う必要がある。これにたいして非専門的な仕事（経団連の言う「定型的職務」）をおこなう一般的な労働者層にたいしては何年働こうとも水準が変わらない低賃金を支払っておけばよい（だから非正規雇用でもかまわない）。――このように資本家どもは考えている。そうするためには、従来の各企業の「賃金制度」から年功的要素を完全に排除して、ただ「仕事＝職務の価値〔企業にとってのネウチ〕」と「貢献度」にだけ対応した賃金支払い形態に改変しなければならないと彼らは考え、そのような「賃金制度改革」をこのかん追求している。〔それは同時に企業の総額賃金を（年功的な昇給制度を廃止することにより）圧縮するためでもある。〕

このように労働者間の賃金格差をより明確につくりだすかたちで労働者を分断し管理しようとしているのが資本家どもであって、このような追求を支援するために、岸田政権は職務給型賃金への転換を奨励し促しているのである。

岸田政権が大々的に喧伝している「リスキリング」と「労働移動の円滑化」、それにもとづく「構造的な賃上げ」なるものは、「DXに適応できない」とみなした圧倒的多数の労働者たちを低賃金のまま放置することの言い換えでしかない。そして数多の労働者に不安定雇用を強制し、さらには失業地獄へと突き落とすものにほかならないのである。

だが、このような岸田政権の労働政策に唱和し協力を誓っているのが、「連合」芳野指導部なのだ。「連合」指導部の腐敗を弾劾し、岸田政権と独占資本家どもによる労働者の選別と切り捨て、さらなる貧窮の強制をうちくだけ！

〈脱グローバル化〉への構造的激変
インフレに揺れ危機を深める現代世界経済

篠　路　憂

プーチンのロシアによる暴虐の限りを尽くしたウクライナ軍事侵略、これにたいするウクライナの軍と労働者・人民が文字どおり一体となった反撃は、東部ハルキウ州の電撃的奪還に続いて南部ヘルソン州の州都ヘルソン市をも奪い返し、いまや侵略軍を決定的に追いつめている。それゆえ、逆上したプーチンは残虐なその本性をいよいよむきだしにして、連日、ウクライナ全土にミサイルとドローンを雨あられのごとくうちこみ、とりわけ電力施設など生活インフラを破壊しつくす挙にでてきているのだ。ウクライナ人民をまるごと氷点下二〇度にもなる極寒のなかに突き落とし屈服を迫る、狂気の蛮行にうってでているのがプーチンなのだ。まさに〝スターリンの末裔〟！

だがこうした暴虐は、ウクライナ人民の抵抗の意志を挫くどころかますます強めるものでしかない。ロシア侵略軍のいかなる残虐行為も、彼らウクライナ労働者・人民の心を折ることはできない。まさにそうであるがゆえに、追いつめられたプーチンが核のボタンに手をかけ、世界を熱核戦争に叩きこむ危機もまた高まっているのだ。

他方、東アジアにおいても、「台湾併呑」のための軍事態勢づくりに突進する習近平の中国と、武力による「台湾併呑」策動を阻止するために日・豪などの同盟国軍をも動員して威嚇的軍事行動をくりかえすバイデンのアメリカとの角逐がいよいよ激烈化しており、一触即発の危機が極点まで高まっている。没落帝国主義アメリカと「市場社会主義国」中国との〈米中新冷戦〉を基軸として角逐をくりひろげてきた現代世界は、新型コロナ・パンデミックに全球が覆われた歴史的事態を経て、いまや〈戦争の時代〉へと転回し、米―中・露の軍事的・政治的・経済的対立を一気に激化させている。スターリン主義ソ連邦の自己崩壊に凱歌をあげ「一超」軍国主義帝国になりあがったアメリカが全世界におしつけてきた〈経済のグローバル化〉は、いまや米―中・露が激突し世界各国が国家エゴイズムをむきだしにした「経済安全保障」を前面におしだすなかで軋みを轟かせ、デカップリングという名の〈経済ブロック化〉へと逆回転を開始しており、現代世界経済はまさに構造的激変に叩きこまれているのだ。

そしてこの激変のなかで、マグマのように噴きだしてきているのが世界的なインフレの昂進にほかならない。新型コロナ感染症の蔓延がもたらした〈パンデミック恐慌〉（世界的な国境閉鎖・ロックダウンの強行による需要の〝蒸発〟と生産停止・サプライチェーン途絶による供給麻痺がもたらした経済の一挙的落ち込み）と、これをのりきるために米・欧・日帝国主義諸国がばらまいた巨額の〝緩和マネー〟の投機的横行とが結びつき、これに〈プーチンの戦争〉などなどが重なることによって惹起しているのが、この〈世界同時インフレ〉という事態である。しかもいま、急進するこのインフレを抑制するために、アメリカFRB（連邦準備制度理事会）を先頭にして主要国中央銀行（日銀を除く）が軒並み急速な利上げに転じてきていることのゆえに、〝緩和マネー〟をばらまきつづけることによっておし隠されてきた現代世界経済の行き詰まりが一気に顕在化し、金融資産バブルの崩壊と経済的不況への暗転をもたらしはじめている。いまや世界金融恐慌勃発の危機が迫りつつあるといわなければならない。そして、まさにこのゆえに金融恐慌の切迫に脅える世界の権力者と独占資本家どもは、インフレ昂進と不況の深まりというこの事態をのりきるために、戦争と貧困と苛酷な労働に苦しむ全世界の労働者・人民にいままた一切の犠牲を転嫁することに狂奔し、いっせいに襲いかかってきているのである。

A　世界を襲う同時インフレの波

現代世界はいま、〈プーチンの戦争〉を引き金にして米―中・露の軍事的・政治的・経済的対立を一気に激烈化させるとともに、一〇%を前後する激しい物価高騰の波が押し寄せる〈世界同時インフレ〉という事態に叩きこまれている。――〈パンデミック恐慌〉によって困窮の淵に突き落とされてきた全世界の労働者・人民は、この物価高騰に直撃されていよいよ追いつめられ、いまや世界各地で、困窮人民を見殺しにする自国政府にたいして怒りに燃えて起ちあがっており、欧米や韓国などでは資本家どもに賃上げ要求をつきつけてストライキ闘争を果敢にくりひろげている。

ソ連圏が崩壊した一九九〇年代以降は、経済破綻に追いこまれた途上国などを除けばほとんど見られなかったこうした激しい物価の高騰が世界中で同時に引き起こされているのは、なによりもアメリカを先頭にした帝国主義諸国の政府と中央銀行が二〇二〇年に惹起した〈パンデミック恐慌〉をのりきるためにいっせいに「財政ファイナンス」(国債濫発と中央銀行によるその購入)をくりひろげ、膨大な〝緩和マネー〟を撒きちらしてきたからにほかならない。米・欧・日各国の政府は国債濫発に依拠して巨額の「経済対策」を実施し、苦境に陥った諸企業の救済をはかるとともに、資本家どもによる大量解雇・レイオフ・賃下げによって生活苦に陥った労働者・人民(アメリカだけで二二〇〇万人が失職)に僅かばかりの支援金を支給して社会の〝底割れ〟を防ぎのりきりをはかってきた。そして、政府が濫発したこの国債を各国中央銀行が購入することによって莫大な〝緩和資金〟を撒きちらしてきたのである。撒きちらされたこの〝緩和マネー〟が、株式や債券などの金融資産だけではなく生活をささえる基礎的物資である石油や穀物などの商品にも殺到することによって、いまや世界中で食料など生活必需品の爆発的なインフレを引き起こす元凶と化しているのだ(補註)。――なお、〈パンデミック恐慌〉は、各国がいっせいにくりひろげたこの「財政ファイナンス」とmRNAワクチンの開発・普及とによって当座は抑えこまれ、世界経済が全面崩壊にいたることだけは免れた。だがそれは危機を先送りしたものでしかない。

そしてこの国際商品の投機的高騰に、次のような諸要因が重なることによってうみだされてきているのが〈世界同時インフレ〉というべき事態なのである。

その第一は、ロシアのウクライナ侵略とこれにたいするアメリカ主導のロシアへの経済制裁であり、これを引き金として原油や穀物などの〝供給危機〟が引き起こされたということにほかならない。ウクライナ産小麦の収穫・出荷の危機、ロシア産の石油・天然ガスの供給停止の動きなどを契機として、これらの物資の各国による囲い込み・奪い合いが激化し、価格を一段とおしあげてきたのだ。

第二に、新型コロナ・パンデミックを契機とした世界的な生産および物流・サプライチェーンの停滞・混乱である。とりわけ中国のゼロコロナ政策の長期化が、中国国内において操業停止や物流の停滞をうみだし、「世界の工場」・中国をハブとしてサプライチェーンに組みこまれている世界各地の生産拠点にたいする部品・素材などの「供給不足」による生産停止や減産を引き起こしてきているのであり、このことがアメリカを中心にして回復してきた諸商品の需要にたいする「供給不足」をもたらし、これらの価格高騰を促進してきたのである。

第三に、石油や天然ガス、石炭などの化石燃料の価格高騰にかんしては、EUを先頭にした各国権力者・独占資本家どもが、「脱炭素」の産業構造への転換を国際競争にかちぬき新たな利潤を獲得するための手段として遮二無二追求し、これら化石燃料の生産を抑制・縮小してきていること、とりわけ産油国が脱石油の産業構造に転換するための資金を確保し延命するために、減産によって原油価格のつり上げをはかっていることをも要因としているのである。

第四に、小麦など穀物の価格高騰は、地球温暖化がもたらした異常気象による凶作の頻発と、このもとでの中国と帝国主義諸国との食糧争奪戦の激化のゆえでもあるのだ。穀物の〝供給危機〟に直面して、一大生産国であると同時に一大消費国である中国は、食糧確保の国家戦略にもとづいて大量の備蓄・囲い込みに走っているのである（中国は、二〇二一年の三大穀物の世界在庫のうち、小麦五一・一%、トウモロコシ六八・八%、コメ五九・八%と、すべてで世界在庫の過半を占めている）。

〔なお、小麦については最大輸出国のロシアが「豊作」となり、欧米の不作を補って輸出を拡大しはじめたことから、二二年十二月に入って国際価格が一ブッシェル＝七ドル台前半まで急落した。二二年三月上旬の最高値一ブッシェル＝一三ドル台後半からは五割ほど下落したわけであるが、しかしまだ高値水準であることに変りはない。また、原油価格もいまは二二年三月の最高値一バーレル＝一三〇ドル台から一バーレル＝七〇ドル台に五割弱下落している。これらの価格急落の主因は、投機資金がいっせいに逃げだしたことにある。米FRBが進める政策金利の引き上げを睨みつつ〝緩和マネー〟が右往左往をくりかえしているがゆえに、こうした価格の乱高下がもたらされているのであり、ここにも〝緩和マネー〟によるマネーゲームの影響の大きさが如実にしめされているといえる。〕

さらに第五には、〈米・中激突〉のもとで、バイデンのアメリカが中国にたいする先端半導体などのデカップリングをゴリ押しして中国を経済的に封じこめる姿勢を強め、これに対抗して習近平の中国もこれまでの「世界の工場」という輸出主導型の経済構造から「国内大循環」（内需主導経済）に「国際循環」を結合する「双循環」の経済構造への転換とそのためのサプライチェーンの再編をはかることに狂奔していること、こうした〈経済のグローバル化〉を逆回転させ、サプライチェーンの分断・再編に突き進んでいることが、半導体不足などによる生産の麻痺や物流の大混乱に拍車をかけるとともに、各国の独占体諸企業にいわば米・中ごとの複線のサプライチェーン形成とそのための投資を強制し「コスト増」をもたらしており、このことがまた物価高騰に拍車をかけているのである。

そして第六として、米・欧・日および新興国・途上国のそれぞれの特殊的諸要因をあげるならば、アメリカのばあいには、ドル体制に胡坐をかいた国債濫発による総額六兆ドルにおよぶ巨額の「コロナ対策」財政ばらまきが、行動制限を解除した「ウィズコロナ」下での飲食や旅行などの〝過剰消費〟(「リベンジ消費」)を呼び起こし、しかもコロナ下で大量解雇した飲食・宿泊などの低賃金労働者の数がコロナ前に戻らない「人手不足」も重なって、こうした職種の賃金が「上昇」し、インフレを加速してきていることである。

またEUのばあいには、ドイツを先頭にしてロシアの天然ガスに大きく依存してきたなかで、EUとしてロシアへの経済制裁に踏みきったことにロシアが報復し、EUへの天然ガス供給をほぼ停止したことであり、このことが、電気などエネルギー価格の四〇％もの急騰をもたらし、二桁インフレの最大の要因となっているのである。

日本のばあいには、米・欧の中央銀行がインフレ抑制のために金融引き締めに転じるなかで、ひとり黒田・日銀だけがなおも「アベノミクス」の「異次元」金融緩和政策をとりつづけることによって、日米の金利差の拡大による三〇％もの急激な円安を招き、石油や食糧などの輸入物価をさらにおしあげてきているのである。

そして新興国・途上国における激しい物価高騰の特殊的要因は、大量に流入していた〝緩和マネー〟が米FRBの利上げ・金融引き締めへの転換によってアメリカに回帰し、これら諸国の通貨急落による輸入物価の急騰を引き起こしているということにほかならない。〔この投機資金は、二二年十、十一月はFRBの利上げ減速に賭けて再び新興国・途上国への流入を増大させ、これら諸国を翻弄している。〕

まさに以上のような諸要因が相乗することによって、〈世界同時インフレ〉という事態がうみだされてきているのである。このようなものとしてこのインフレは、〈パンデミック恐慌〉と〈プーチンの戦争〉を引き金として激烈化した〈米・中対決〉のもとで、超金融緩和策によって危機を先送りし延命をはかってきた末期資本主義の矛盾が噴出したものにほかならず、マグマのように噴きだしたこの矛盾をなおも労働者階級・人民におしつけ延命を策しているのが、帝国主義諸国権力者と独占資本家どもであり、中国ネオ・スターリン主義官僚どもなのである。

アメリカ式〈経済のグローバル化〉の終焉

一九九一年にスターリン主義ソ連邦が自己崩壊して以降の現代帝国主義世界経済においては、インフレは永らく鳴りを潜めてきたのであった。「低インフレ体質に変わった」といわれるほどのこの構造的変化は、「一超」軍国主義帝国になりあがったアメリカが〈経済のグローバル化〉を全世界におしつけることによってもたらされてきたといえる。〈経済のグローバル化〉のもとで、米・欧・日の多国籍化した独占体諸企業が中国・アジア、そして中東欧の低賃金労働力に群がり、まさに強搾取することによって利潤を増やす他方で、米・欧・日の国内では工場の統廃合・リストラを強行し、ＩＣＴ（情報通信技術）関連などの一握りの労働者を相対的に高賃金で奪いあうとともに、残りの大多数の労働者にたいしては解雇・賃金切り下げ・非正規雇用化の攻撃を徹底してうちおろしてきたのであった。とりわけ「世界の工場」となった中国における低賃金での労働者の酷使とそれによる安価な商品の輸出）が帝国主義諸国への〝デフレ圧力〟としてはたらき、米・欧・日の資本家どもが、長期にわたって育成してきた「中間層」の熟練労働者たちを低賃金に叩き落とすことによって「賃金上昇圧力」を低下させ、こうして低インフレを持続させる構造をつくりだしてきたのである。

まさに、こうしたアメリカ式の〈経済のグローバル化〉がもたらした低インフレ構造のもとで、現代帝国主義経済はアメリカを中心にして、ＩＴバブルとその破裂（二〇〇〇年代初頭）、住宅バブルとその破裂（二〇〇八年リーマン・ショック）というように、金融緩和政策の持続に支えられた金融資産や住宅・不動産のバブル的高騰とその破裂をくりかえしてきた。そして金融資産バブルが崩壊するたびに、これをのりきるために金融緩和策をさらにエスカレートさせるとともに労働者に犠牲を転嫁することをくりかえし、ますます諸矛盾を深めてきたのである。このような低インフレのもとでの資産バブルとその破裂をくりかえしてきた果てに現出しているものこそ、こんにちの世界的なインフレの昂進という事態にほかならないのだ。

この意味において今回の世界的インフレは、〈パンデミック恐慌〉をのりきるために撒きちらした〝緩和マネー〟に種々の要因が重なることによって引き起こされているだけでなく、その基底において構造的な変化がもたらされていることをしめしているといえる。これまでは、黒田・日銀が「異次元」金融緩和策をとりつづけ〝緩和マネー〟をいくら撒きちらしても、「二％インフレ目標」をまったく達成しえなかったことにしめされるように、量的金融緩和策をとりつづけても低インフレがつづいてきたのだからである。

今回のインフレの基底にあるこの構造的変化とは、ひとつは、中国を「世界の工場」としてGDP世界第二位にまでおしあげた原動力である中国製造業労働者の賃金水準が、相対的に上昇してきたことであるといえる。貧富の差のあまりの拡大を「是正」し労働者・人民の不満を抑えこむために、習近平指導部が最低賃金の一定程度の引き上げを進めてきたこともあり、とくに中国沿海部においては〝安価な労働力〟が涸渇しはじめ、労働者や農民工をかつてほどの低賃金では確保できなくなってきたということである。二〇〇一年の中国製造業労働者の平均賃金はアメリカ製造業労働者の二十分の一であったが、二〇二一年時点では四分の一にまで縮まってきているのである。このことが、中国の帝国主義諸国への〝デフレ圧力〟を低下させてきたのだ。

もうひとつは、「世界の中華」として「人類運命共同体」を領導するという世界戦略を掲げ対米挑戦を強める習近平の中国にたいして、このままでは世界の覇者の座を奪われかねないと危機意識をつのらせた没落帝国主義盟主アメリカ・バイデン政権が、「専制主義にたいする民主主義のたたかい」の名のもとに、日本などの「同盟国」を率いて対中国の軍事的・政治的・経済的な包囲網の形成に狂奔していることである。とりわけ先端半導体・高度技術の中国への供給をいっさい遮断する強硬な対中国デカップリング・包囲網づくりをめざし「同盟国」にも強制する姿勢を前面におしだしてきているのがバイデン政権であり、中国封じ込めのために、いまや〈経済のグローバル化〉を逆回転させはじめているということにほかならない。こうして〈経済のグローバル化〉のもとでコスト削減のために世界中にサプライチェーンをはりめぐらしてきたグローバル独占体諸企業は、中国を外したサプライチェーンへの再編成を迫られるとともに、今後をも見据えて、いまや「世界の工場」にとどまらず「世界の市場」としても登場している中国との関係を維持したサプライチェーンをも構築するという、いわばサプライチェーンの複線化の追求をはじめている。まさにこうした〈米・中激突〉のもとでの〈脱グローバル化〉という名のサプライチェーンの分断・再編が、さらにこれと絡んで「経済安全保障」や「エネルギー安全保障」「食糧安全保障」の観点からの国家エゴイズムをむきだしにした各国の食糧やエネルギー資源の熾烈な囲い込み合戦が、世界の独占資本家どもに生産コストの増大を強制し、インフレ昂進を基底において促迫しているわけなのである。

B　習近平・中国の〈ドル覇権〉への挑戦

〈プーチンの戦争〉を引き金として一気に激化した米—中・露の軍事的・政治的・経済的対立、このなかで現代帝国主義世界経済はいま、激しいインフレをともないながら構造的激変を引き起こしつつある。それは、〈戦争の時代〉への転回に連動して次のようなかたちで現出してきているといえる。

1　世界経済の〝救世主〟としての軍需産業の活性化

ロシアによるウクライナ侵略戦争は、アメリカ・NATO諸国による「武器供与」と相まって、いまや新兵器の実験場＝〝見本市〟の様相さえ呈して〝ウクライナ戦争特需〟を呼びおこしており、世界各国の軍備増強と軍需サプライチェーンの再編を促すとともにこれにもとづく軍需産業の活性化および国家的育成を世界的にもたらしている。とりわけ、戦争が大規模かつ長期化し、「軍事大国」ロシアが兵器・弾薬の補給を北朝鮮やイランにすがるのをみて、各国権力者は「継戦能力」の確保を唱えて大軍拡を開始している。こうして、過剰資本の処理の国家独占資本主義的形態の典型をなす軍需産業が、いまや〈コロナ・パンデミック恐慌〉後の世界経済を「牽引」する〝救世主〟に躍りでてきているのである。

2　高度技術をめぐる〈米・中分断〉の激烈化

しかも、現代兵器は宇宙空間・サイバー空間に拡がる最先端のデジタル技術の塊と化しているがゆえに、この大軍拡は、米・中の激突・分断による先端半導体・高度技術の囲い込み・「同盟国」づくりとしても熾烈にくりひろげられつつある。こうして、「経済安全保障」の名において、〈経済のグローバル化〉の逆回転を急速に引き起こしつつあるのだ。

3　資源・エネルギーの争奪と囲い込みの激化

資源・エネルギー価格の高騰、ロシアによるEUへの天然ガス供給の停止の揺さぶりに直面して、各国が「エネルギー安全保障」を前面化し、石油・石炭・天然ガスの争奪戦を激化させていること。「脱炭素」産業構造への転換に起死回生を懸けていたEUは、ロシアによる天然ガス供給の遮断によって産業的危機に追いこまれ、「脱炭素化」の先送りをはかっている。英・仏は原発新設へ舵を切り、日本の岸田政権も原発方針の大転換に突進している。

4　食糧ナショナリズムの前面化・飢餓の拡大

ウクライナ産小麦などの〝供給危機〟を引き金にした食糧価格の高騰は、「食糧安全保障」の名による国家エゴイズムをむきだしにした食糧の輸出規制・食糧ナショナリズムの急拡大をもたらし、中東・アフリカなどの食糧危機・飢餓の拡大を引き起こしている。ロシアのウクライナ侵略以後、世界の二十ヵ国ほどが食糧の輸出規制に踏みだしたのであった。

そもそもアフリカなどに食糧危機・飢餓の拡大をもたらしている元凶は、米・欧帝国主義諸国が、アジア・アフリカ・中南米など途上国農業の自給体制を破壊し、みずからの穀物戦略のもとに組みこんできたことにほかならないのだ。欧米資本は、〈経済のグローバル化〉のなかに農産物のグローバルなサプライチェーンを構築して組みこみ、これら途上国に輸出のための商品作物の大規模生産・モノカルチャー化を強制することによって、主食の穀物など他の農産物は輸入に依存する構造に追いこんできた。こうして、主要穀物の大規模生産国が干ばつなどで凶作に陥るたびに、アフリカなどが飢餓に苦しむ事態を構造的にうみだしてきたのだ。

もともと深刻な矛盾を抱えたこうした農産物のグローバルな生産・供給網を、いまやウクライナ戦争を契機にして、主要穀物の生産国が自国の食糧確保優先の名のもとに分断することに走り、そうすることによって、一気に矛盾が噴出する事態となっているのである。

＜南北対立＞のこんにち的露出にほかならないこうした事態を、米欧に対抗してアジア・アフリカ・中南米諸国を囲いこむ絶好の機会とみなし、その基軸としてＢＲＩＣＳの結束・拡大に力を入れているのが「途上国の大国」を標榜する習近平の中国である。そしてこれに呼応して、ロシア産穀物の輸出を武器にして、アフリカ・中東諸国などを引き寄せ、米欧の経済制裁によって追いつめられた国内経済の危機突破をはかっているのがプーチンなのだ。

〔ちなみに、「ものづくり・輸出立国」をかかげて、国内農業を縮小しアジアや南米などで商品作物を生産し輸入する構造を政策的につくりだし、食料自給率を三八％（カロリーベース）台にまで低下させてきたのが日本の独占資本家どもとその政府にほかならない。エネルギー自給率一〇％と相まって、いま「食糧・エネルギー安全保障」の脆弱性を突きつけられた日本支配階級は、この突破策を軍事大国への飛躍に求め、大軍拡を基礎にして日本に「食糧・エネルギー」供給を保障してくれる「同盟国」をつくりだすことに血まなこになっているといわなければならない。〕

5　ドル基軸通貨体制への中・露の挑戦の本格化

アメリカ主導のロシアへの経済制裁とりわけ米・欧・日帝国主義諸国がロシア中央銀行保有の外貨準備三〇〇〇億ドルを凍結したことが、ドル資産を大量に抱えている習近平・中国の危機意識をいよいよ高めたのであった。しかもアメリカ・バイデン政権はいま、「世界の中華」にのしあがる野望をむきだしにした習近平の中国を叩き落とすために、中国を先端半導体の製造・供給網から全面的に排除する強硬な方針をうちだし、これを日本や韓国、オランダなど半導体サプライチェーンをになう「同盟」諸国にも強制する姿勢を前面化している。こうしたバイデン政権の先端半導体・高度技術における対中国デカップリング＝〈経済のグローバル化〉を逆回転させる動きと〈プーチンの戦争〉を引き金とした石油・エネルギー資源および食糧の〝供給危機〟とに直面し、いまや習近平・中国はプーチン・ロシアと結託して、原油・食糧・鉱物資源を基盤としＢＲＩＣＳを基軸とした国際決済システムの構築に本格的にのりだしているといえる。

米・欧・日がロシアに経済制裁を科すなかで、ロシアからの大量の原油購入に走ったのが中国とインドであった。この際に、ＳＷＩＦＴ（国際銀行間通信協会、世界の二〇〇以上の国・地域の金融機関が参加する米ドル主体の国際決済ネットワーク）から主要銀行を締め出されたロシアは、ＣＩＰＳ（中国が脱ドル化をめざして二〇一五年に創設した人民元の国際決済システム。今では一〇四ヵ国・地域、一三四〇ほどの金融機関が参加するまでに拡大）に依拠すると同時に、インドとのあいだではルピーとルーブルとを併用した二国間の決済システムをつくりだしてきたとみられている。インドもまた、非米の立場から〈脱ドル化〉に棹さしはじめたのである。

中国は大量に保有する米国債の削減にのりだすとともに、二二年三～四月には外相・王毅が中東・アジア・アフリカなど二十五ヵ国の首脳や外相と協議し、対露経済制裁から距離を置くことを説いて回った。こうしたなかで大量のドルを抱えるサウジアラビアも、ロシア中銀保有ドルの凍結という制裁発動に危機意識を高めて脱ドル化に動きだし、中国との原油取引の一部をドル建てから人民元建てに転換したのであった。中国に六年前から要求され、これまではなかなか応じなかったこの人民元建て取引の導入は、アメリカ・バイデン政権のサウジアラビアの〝切り捨て〟にたいする牽制であり、「脱炭素化」のもとでのサウジアラビアの生き残り策の模索にほかならない。

〔二二年十二月、習近平はサウジアラビアを訪問し、皇太子ムハンマドと「戦略的パートナーシップ」を謳いあげた。さらに中東アラブ諸国首脳と相次いで会談し、「内政不干渉」を原則にした外交関係と貿易拡大を確認するとともに、人民元での貿易決済を呼びかけた。」

そもそも半世紀も前に金の裏づけを投げ捨てたドルが事実上の国際基軸通貨として居座りつづけてきたのは、変動為替相場制への移行の過程で国際原油取引の通貨をドルに一元化することをアメリカがサウジアラビアに認めさせ（一九七四年）、「ペトロ（石油）・ダラー体制」を築いてきたことを基礎としている。そして、〈経済のグローバル化〉をおしすすめるなかで世界中から諸商品をアメリカの巨大消費市場に惹きつけ輸入を拡大することによってドルを世界に撒きちらし、そのドルをアメリカ金融市場に還流させるというかたちでドル基軸通貨体制を構築し強固にしてきたのである。

ところが今、バイデン政権は、対中国デカップリングをゴリ押しして〈脱グローバル化〉を先導し、また、シェール石油開発によってアメリカが世界一の石油産出国となりいまや石油輸出国となった高みからサウジアラビアの軽視に転じてきた。まさにドル体制を支えてきた基礎をみずから掘り崩しはじめてきているのがバイデンなのだ。しかも、新型コロナ・パンデミックのりきりのために大量のドルを撒きちらしてインフレに火を付け、このインフレ抑制のために利上げに転じてドル高をもたらしても「市場のなすがままに」とうそぶいて傍若無人にふるまい、新興国・途上国を中心にして世界を翻弄してきているのがドル体制に胡坐をかくバイデン政権なのである（米ＦＲＢの大幅利上げによって、二二年にドルは主要国通貨にたいして二割ほども上昇するドル独歩高となり、各国に自国通貨安・インフレ促進をもたらした）。まさにこのゆえに、ドルに翻弄される新興国・途上国を中心にして、〈ドル覇権〉にたいする反撥がかつてなく高まってきているのであり、ここにつけこみ〈ドル体制〉を突き崩す本格的挑戦に踏みだしたのが中国・習近平指導部であり、これと結託し経済破綻の窮地脱却をはかるロシア・プーチン政権なのだ。

　これまで習近平・中国の〈ドル体制〉への挑戦といっても、世界の為替取引の四割強はドルであって人民元は僅か二％にすぎず、世界の外貨準備の六割をドルが占めているなかでは〈ドル支配〉は当面揺るがないとみられてきた。けれども〈ドル支配〉の基礎をなす為替取引のほとんどは金融投機のマネーゲームでしかなく、貿易の決済取引はわずか三・七％にすぎない。〈脱グローバル化〉による貿易の分断・サプライチェーンの再編は、実態経済における貿易とそれを仲介する通貨の重要性を増し、とりわけ食糧・エネルギー資源・鉱物資源など特定国に偏在する物資の貿易取引通貨が力をもつことになる。それゆえ、「一帯一路」経済帯を基礎にした貿易の拡大によって、人民元の影響力が一気に強まる可能性がうみだされているといえる。まさに、これこそが、中国がＢＲＩＣＳを基軸にして〈ドル体制〉への本格的挑戦に踏みだした基礎なのだ。

　だが、この〈ドル体制〉への挑戦の本格化は、〈ドル体制〉にもとづくアメリカの金融支配のもとで、実態経済から遊離して膨れあがっている金融市場を揺るがし、世界金融恐慌の導火線に火を付けるものにほかならない。

C　〈グローバル化〉の逆回転

　スターリン主義ソ連圏の自己崩壊から三十年余、〈コロナ・パンデミック〉を歴史的転換点とし〈プーチンの戦争∨によってその新たな危機的構造を現出させた現代世界。金融マネーゲームの狂躁に包まれ∧世界同時インフレ∨を噴出させた現代世界経済は、いまや∧米・中激突∨のもとで∧経済のグローバル化∨の逆回転を開始し、行き詰まりを露わにしている。

インフレ抑制のためにＦＲＢが政策金利の引き上げをくりかえしてきたバイデンのアメリカは、いまだ七％台のインフレがつづいているにもかかわらず、経済の落ち込みに直面して利上げ幅の縮小に転じた（二二年十二月）。いまや世界経済は、インフレ昂進のなかでの経済的不況に突入しつつある。そして、この世界経済の落ち込みに拍車をかけているのが、習近平の中国にほかならない。

中国経済はいま、習近平指導部が強行しつづけてきたゼロコロナ政策のゆえに、工場の操業停止・混乱の繰り返しと消費の落ち込みがつづき、さらに不動産バブル抑制策による住宅・不動産不況の長期化も重なって、いよいよ危機を深めている。二二年の経済成長率は、目標の六％を大きく下回る三・二％ほどになると予測されている。――都市部の若者の失業率は二〇％に達しており、困窮する労働者・学生・人民のネオ・スターリン主義官僚専制体制への怒りは「白紙」決起として全土に拡がり、習近平「一強」体制を揺るがしはじめている。

中国がＷＴＯ（世界貿易機関）に加盟した二十一世紀初めから、米・欧・日の帝国主義経済が落ちこむたびに、とりわけリーマン・ショック後は、中国が「内需拡大」の「経済高速成長」を実現し〝救世主〟として世界経済を牽引してきたのであった。だがまさに、この「高速成長」を労働者・農民工を酷使してつづけてきたことのゆえに、中国経済は不動産バブルと過剰債務を抱えて矛盾を深め、しかもゼロコロナ政策の強行とバイデンの対中デカップリングの直撃とによって、いまや絶体絶命の危機に陥っている。

こうして世界経済が完全に行き詰まるなかで、この危機の〝救世主〟は、いまや米・日―中・露を基軸とした世界的大軍拡に求められ、宇宙・サイバー空間・軍事の融合による「需要」の拡大という腐蝕に満ちた虚構の「成長」に危機突破が懸けられようとしている。戦争と貧困と圧政の深まりのなかで、〈衣・食・住〉に事欠く労働者・勤労民衆をますます大量にうみだしつつ、デジタル化・軍民融合技術の開発による大軍拡に血道をあげ、世界大戦的危機をいよいよ深めているのが帝国主義権力者とネオ・スターリン主義官僚および転向スターリン主義官僚どもなのだ。

世界の独占資本家どもは、口を開けば「イノベーションによる生産性向上こそが危機打開策」などとほざいている。だが「生産性向上」による「経済成長」の飽くなき追求とは、「需給ギャップの解消」のための「需要」という浪費を、しかもいまや宇宙空間およびサイバー空間にまで拡がった大軍拡を基軸とするところのそれを創出することにほかならず、現代の技術革新の粋を結集したこの軍需生産に拍車をかけることによって、世界大戦的危機をいよいよ高めるとともに、労働者・勤労人民の内部にますます所得格差をうみだし、困窮人民を増大させるものでしかない。先進国内部での〈貧富の差〉の拡大と同時に、途上国人民のさらなる〈貧困化〉をもたらすものでしかないのだ。異常気象による干ばつや大洪水と、これに連動した食糧危機などがアフリカ・アジア・南洋島嶼諸国などの勤労人民を襲い、その危機をいよいよ深めている。国連の報告では、八億二八〇〇万人が飢餓に直面し三一億人が健康的な食事をできず、また二二億人が安全な水を得られないでいるという。いまや八〇億人を突破した世界の勤労人民の多くが困窮し餓死線上に追いやられている。「生産性」向上による「経済成長」なるものを追い求めることはこの現実をますます深めるものでしかないのだ。まさに自己増殖する価値としての資本の軛を断たないかぎり、戦争と貧困と飢餓を深め、労働の資本制的自己疎外の極みを、まさに人間の滅びをいよいよ手繰りよせることにしかならないのである。

この危機を突破するためには、マルクスの唯物史観が明らかにした社会の本質がいまこそ省みられるべきである。〈衣・食・住〉にかかわる生活諸手段を労働者・勤労人民が共同社会的に生産し分配することを基礎にした社会の実現いがいには、この腐臭をはなつ現代世界の危機を突破する道はない。全球的な労働者階級・勤労民衆の一致団結した反転攻勢が、いまこそ展開されなければならない。

補註

世界の主要四中央銀行（米FRB、欧州ECB、日銀、英イングランド銀）の総資産は、二〇二〇年二月の一五兆ドルから二二年四月には二五兆ドルにまで、一〇兆ドルも急増した。わずか二年余のあいだに実に一〇兆ドルもの〝緩和マネー〟をばらまいたわけであり、これがインフレを一気に燃えあがらせてきているのである。

そもそも米・欧・日の中央銀行は、〇八年のリーマン・ショックをのりきるためにとった例外的な超金融緩和政策をその後十数年にわたってほぼ維持し、〝緩和マネー〟を補給しつづけてきたのであった。新型コロナ・パンデミック前の四中銀の総資産一五兆ドルそれ自体が、リーマン・ショック前の五兆ドル弱からは一〇兆ドルも増大したものなのだ。リーマン・ショックからの十数年間に一〇兆ドルもの〝緩和マネー〟をばらまいてきたうえに、次のわずか二年余のうちに、さらに一〇兆ドルも増やしたわけなのである。

この膨れあがった投機資金はいま、米ＦＲＢが先導する利上げを睨みつつ、〝リスク〟回避しながらより高い利回りを確保するために世界中の株式・債券・為替・商品市場をますます激しく駆け巡っている。新興国からドル資金を流出させたり、利上げペースの〝鈍化〟を見込んでまた新興国に戻したり、一時は一ドル＝一五一円台まですすんだ円相場を一気に十五円ほども円高に戻したりの乱高下をくりかえしている。「良好な景気指標」がしめされると利上げが進むとみてＮＹダウ平均株価は値を下げ、「悪い景気指標」のばあいには逆に利上げペースが緩むとみて株価が上昇する、という逆倒した変動をくりかえしてもいる。まさに実態経済から遊離し、実態経済を翻弄する金融マネーゲームの腐朽性が如実にしめされているではないか。

こんにち、世界の債務残高は三〇〇兆ドルを突破し、この二十年で約三・五倍に膨れあがっている。二〇〇八年のリーマン・ショックで跳ねあがり、新型コロナ・パンデミックに直面してそれをはるかに上回る規模で急増してきているのが世界の債務なのだ。

リーマン・ショック後には銀行の規制を強化してきたので金融危機の可能性は減ったとされてきているが、しかし規制の対象外である投資ファンドやさらには暗号資産などにも流入しているいわゆる「影の銀行」の規模はいまや世界で二〇〇兆ドルにまで膨張しているのである。これこそはリーマン・ショック後に金融緩和策を継続しつづけたうえに、〈パンデミック恐慌〉のりきりのためにさらに急増させた〝緩和マネー〟がもたらしたものにほかならない。

――二二年十一月に暗号資産のＦＴＸトレーディングが数兆円の負債を抱えて破綻した。このことは、米ＦＲＢがすすめる利上げとＱＴ（量的引き締め）を契機にして金融危機が切迫していることを告知しているものにほかならない。

中国共産党第二十回大会
人民の怒号に包まれた習近平「一強」体制

水森薫子

官僚専制体制を揺るがす労働者・学生の「白紙」決起

二〇二二年十月十六日から二十二日にかけて北京で開催された中国共産党第二十回大会において、習近平は、三期目の総書記の座を掌中にした。前総書記・胡錦濤に連なる共産主義青年団出身の官僚どもを徹底的に粛清・排除し、政治局常務委員および政治局員のすべてを子飼いの党官僚で固めたのが習近平であった。

いわゆる「習一強体制」の成立は、だがその発足直後から激震に見舞われた。「ゼロコロナ政策」と称する習近平政権の都市封鎖＝人民統制・弾圧の強行にたいして、中国全土において学生・労働者・人民が陸続と決起したのだ。十一月二十四日に発生した新疆ウイグル自治区ウルムチ市の高層マンション

「白紙」を掲げ決起した人民（11月27日、北京）

火災にさいして、人非人的な封鎖措置のゆえに住民の退避や消火が遅れ十人が死亡した。この地方政府の措置にたいするウルムチでの追悼抗議集会を発端にして、怒りに燃えた人民の闘いは、――南京、上海、武漢、成都へ、首都・北京へ、そして深圳や国家安全維持法が施行されている香港などへ――全国五十ヵ所以上、七十九大学に広がった。学生・労働者たちは、北京官僚の弾圧・言論統制への抗議の意をこめて白紙を掲げ大学キャンパスや街頭での闘いに決起した。彼らは「ロックダウンやめろ！」「PCRは不要だ、自由が必要！」「習近平下台！」「共産党退陣！」のシュプレヒコールを全国一斉に轟かせたのである。そして、インターナショナルや「起ちあがれ、奴隷になることを望まぬ人びとよ！」という中国国歌の一節を大合唱し、官僚政府にたいする果敢な反逆にうってでたのである。

　こうした中国全土におよぶ労働者・人民の闘いは、警察権力の弾圧によっていったんは封じこめられているとはいえ、習近平を頭目とするネオ・スターリニスト党専制支配体制をいまなお脅かしているのである。習近平政権の「ゼロコロナ政策」の強行によって失業・生活困窮に突き落とされてきた労働者・人民の習近平政権への怒りは、いたるところで噴きあがりつつある。

　これをなんとしても抑えこみ懐柔するために、習近平指導部は、十二月はじめから北京、上海などで、一転して「ゼロコロナ措置の緩和」――地下鉄、バスなど公共交通機関の利用にあたって陰性証明提示義務の解除――なるものを発表した。だがそれは、労働者・学生・人民の闘争の火がさらに燃え広がり、中国共産党が握る国家権力そのものを打倒する闘いへと転化することに恐れおののいた習近平指導部の、自己保身に満ちたのりきり策いがいの何ものでもない。

ネオ・スターリン主義官僚どもの人民弾圧を断じて許すな！　われわれ日本のたたかう労働者・学生は、ネオ・スターリン主義権力者どもの苛烈な弾圧に抗して起ちあがっている中国の労働者・人民・学生と連帯し、〈習近平政権の人民弾圧弾劾〉の闘いを断固としておしすすめるのでなければならない。日本革命的左翼の矜持にかけて、たたかう中国人民の内部に〈反スターリニズム〉の闘いの息吹を広げていこうではないか。

習近平とりまき体制の確立＝瓦解の始まり

みずからの総書記三期目の就任を自賛する〝祭典〟として、習近平が演出を凝らした党大会の最終日に、長老席の前総書記・胡錦濤が両腕を係員に抱えられ退場させられるという事態が生起した。欧米のメディアに撮影が許可された場面で、胡錦濤が新中央委員の名簿が入った封筒を開こうとしたとき、隣席の栗戦書（政治局常務委員）が胡錦濤の手を押さえつけ、習近平はすぐに係員を呼び胡錦濤を無理矢理に退席＝退場させた。胡錦濤は退席するときに李克強の肩にそっと手をかけたのであった。この事態は、第二十回党大会で決定した新中央指導部・中央委員から共青団系の党官僚を根こそぎ排除した習近平にたいする胡錦濤の抗議にほかならない。

この党大会（および第一回中央委員会総会）においてつくりだされたいわゆる習近平「一強」体制なるものは、出発と同時にがたがたになっている。まさに労働者・人民・学生が「習近平下台」を掲げて「白紙」決起したことに示されるように労働者・人民・学生のなかに、習近平のコロナ政策・失業対策などの諸政策にたいする怒りがマグマのように広がっているのである。

そのゆえにこそ、北京官僚内の党内＝権力闘争が激烈化しているのだ。今回の習「一強」体制の確立は、共青団系の党官僚との激烈な党内＝権力闘争において、習近平がからくも〝勝利〟したことを示している。

「総書記は連続二期（十年）まで」「八下七上（政治局常務委員は六十八歳定年）」という鄧小平が定めた〝不文律〟――陳雲一派など伝統的保守派＝長老を排除するために設けたもの――を、習近平は公然と破棄した。そのうえ、「党中央および全党における習近平総書記の核心的地位を守ること」および「党の統一的指導を守ること」という「二つの守る」を党規約＝実質上の党綱領に明記した。――ただし、習近平その人を毛沢東のように神格化した文言＝「領袖」を改定規約に盛りこむことはできなかった。

党大会から退場する際に李克強の肩に手をかける胡錦濤（10月22日）

習近平は、政治局常務委員の全員および政治局委員の大半を習近平とりまき分子で固めた。浙江省時代の秘書長・李強ら習近平の元部下で政治局を固めたのだ。首相・李克強には「八下七上」基準を利用して「引退」に追いこみ、次期首相候補の一人と目されてきた副首相・胡春華（共青団系）を政治局委員からもはずしヒラの中央委員に降格した。こうして、スターリニスト党に特有の官僚主義的位階制の頂点に君臨する習近平は中央指導部から共青団系党官僚を根こそぎ追放し、習近平とりまき分子で固めた指導体制を確立したのである。

この第二十回大会において習近平は、政治報告において「社会主義現代化国家の全面的建設という新征途」をシンボルとする内外諸政策の基本をうちだした。これは、中共ネオ・スターリニスト官僚が直面している内憂外患ののりきり策にほかならない。

習近平指導部は、「韜光養晦《とうこうようかい》」（能力を隠しほどほどのことをせよ）という鄧小平の〝遺訓〟を実質上棚に上げ、アメリカを凌駕する「社会主義現代化強国」にのしあがることを国家戦略の要にすえ、〝軍事強国・宇宙強国・製造強国〟などの実現のために驀進している。

このなりふり構わぬ中国の猪突猛進に震撼せしめられた没落帝国主義アメリカのバイデン政権は、日米軍事同盟と米・英・豪の核軍事同盟たるAUKUSを中軸とした対中国軍事包囲網の構築やクワッドの形成に狂奔し、高性能半導体の輸出禁止などの経済的措置を強行している（対中国のデカップリング政策）。まさに習近平中国は、軍事・政治・経済の全部面でアメリカ帝国主義とその同盟国に重包囲されている。

しかも、グローバライゼーションに依存した中国経済の高度成長路線の行き詰まりのゆえにとってきた内需・外需の「双輪」政策、その切り札として創出した都市・住宅建設は不動産バブルの破裂と「鬼城」の乱立をもたらし、三億人の失業者（とりわけ農民工と都市の若者）を生みだした。そのうえ、新型コロナ対策＝都市封鎖の強行によって、生産・流通・販売の〝凍結〟がもたらされた。北京官僚どもは、労働者・人民に強権的管理下での生活苦と失業・貧窮を強制しているのだ。まさにそのゆえに、労働者・人民・学生の怒りがいままさに噴出しているのである。

足もとをネオ・スターリニスト党＝国家官僚専制支配にたいする人民の反逆に揺さぶられ脅える習近平は、あくまでもこれを封じこめ、人民に犠牲を強要するかたちで内憂外患をのりきることに血眼になっているのだ。

その第一に、対米戦争を想定しての核軍事力の飛躍的強化——空母三隻体制による海軍の強化や極超音速ミサイルの配備や「宇宙強国」化の促進など。これを基礎にして、台湾併呑を日程に上らせること。第二に、対外政策上は拡大BRICSやSCO中心とした〝反米戦線〟の構築。第三に、「双輪」政策を基本とした経済建設を基本とし、途上諸国の反発をかわす措置をとりながら「一帯一路」経済圏を構築すること。第四に、「白紙」を掲げた労働者・学生・人民の決起に震撼した北京官僚は、この決起を「外国の手先」にそそのかされたものなどと烙印し、治安弾圧体制の飛躍的強化に突進しているのだ。

こうしていま、習近平指導部は、政治・軍事・経済における〟対米の国家総力戦体制〟をつくりだそうとしているのである。

台湾併呑への突進

二十回大会における報告を、習近平は「台湾」で始め、「台湾」で結んだ。冒頭で「台湾独立勢力との闘い」を強調し、末尾部分では「祖国完全統一は党の歴史的任務」と宣言した。そこで習は、「平和的統一の未来を実現しようとしているが、決して武力行使の放棄は約束しない」とわざわざ言明した。また規約には、『台湾独立』を封じこめる」という文言を書き加えた。

「武力統一」をも辞さずに併呑に突進するという習近平指導部の構えは、新たな中央軍事委員会の実体構成にも貫徹された。習じしんが軍事委主席を継続するだけではなく、親密な関係にある副主席を、七十二歳という高齢にもかかわらず留任させた。もう一人の副主席には、台湾方面を管轄する東部戦区の元司令官を登用した。委員会のメンバーの多くは、習近平に近いと同時に、台湾を眼前にする福建省出身者や東部戦区司令官経験者である。これは、対台湾作戦の遂行を現実に射程にいれての新体制の構築にほかならない。〔他方で、ウイグルやチベットなど少数民族の反抗の徹底的な抑えこみをはじめ治安弾圧体制を強化するために、治安・公安部門の責任者も習近平派で固めた。〕

いまや「中華民族の偉大な復興」が「党の歴史的使命」であると宣言しているネオ・スターリニスト習近平は、「祖国完全統一」と称して台湾併呑を中国にとっての〟核心的利益のなかの核心〟として位置づけている。

台湾は、半導体受託製造の世界最大手であるTSMC(台湾積体電路製造)の拠点であり、いまや先端半導体の九割が台湾で生産されている。かつてはTSMCから先端半導体を大量に輸入していた中国の製造業・軍需産業は、トランプとバイデンがおこなってきた強力な対中半導体規制によって先端製品の台湾からの輸入の道を断たれてしまった。しかもこの島は、中国軍にとって西太平洋に進出する要衝に位置する。それゆえに習近平指導部は、台湾を絶対にアメリカに獲られてはならないと危機感を募らせているのである。

これにたいしてアメリカ・バイデン政権は、いまや「一つの中国」という建前を事実上ふみ破って、蔡英文政権にたいする政治的・軍事的・経済的支援の強化に躍起となっている。そして、「属国」日本をはじめとする同盟諸国を総動員して対中国の軍事的包囲網をつくり、中国による「一方的な現状変更」をなんとしても抑えこまんとしているのだ。

このアメリカの介入を阻止して台湾を併呑できるか否か――ここにみずからの国家が世界の覇権を奪取するという「中国の夢」実現の成否がかかっていると考え、いま台湾攻略を狙っての強硬策に拍車をかけているのが、習近平指導部なのだ。

この政権は、アメリカ政府から政治的・軍事的支援をうけて身構える蔡英文の台湾を重包囲する軍事態勢をすでにつくりだしており、それをいっそう重層的に強化しつつある。いや現に人民解放軍は、台湾の政府機関や企業・銀行、重要インフラなどを標的にして波状的なサイバー攻撃や情報攪乱攻撃をしかけている。加えて、ロシア侵略軍のキーウ攻略戦の大破綻などを〝教訓化〟し、台湾中枢への急襲を遂行するための軍事物資や兵力の迅速な輸送などの訓練を、軍民一体となって積み重ねたりもしている。同時に二〇二四年の次期総統選挙をにらんで「親中」野党の国民党へのテコ入れや、企業や若者にたいする利益供与等々を使った種々のかたちでの搦め手策をも弄しているのだ。

ネオ・スターリン主義中国の窮途末路

政治報告において習近平は、建国一〇〇年までに「社会主義現代化強国の全面的完成」を成し遂げるとか、「中国式現代化は全人民の共同富裕をめざす現代化である」とかとおしだしている。アメリカに追いつき追いこし世界の覇者にのしあがるという「中華民族の夢」、この「夢」にむかって盲進してきた中国は、だが、いまや一気に奈落の底に転落する危機に直面しているのだ。

中国経済の高度成長を可能にした「経済のボーダレス化」は、中国の猛烈なキャッチアップに危機感を募らせたアメリカ帝国主義権力者のデカップリング政策の貫徹によって終焉せしめられた。トランプ政権いらい、アメリカ帝国主義は、「唯一の競争相手」とみなした中国を封じこめるために、政治的・軍事的圧力を強め、高度技術の対中国輸出を禁止する措置をとっている。とりわけ、先端半導体にかんする取り引きの規制を一段と強化している。米・日・韓・台による排他的な半導体製造連合形成（Ｃｈｉｐ４）の追求に続いて、中国による先端半導体製造を不可能にする規制措置にうってでているのだ。まさにそのゆえに、習近平中国が「製造強国」「技術強国」への飛躍を賭けて実現せんとしてきた「中国製造二〇二五」——二〇二五年までに半導体自給率七〇％を確保することを最重点目標にしたそれ——は実質的に破綻しているのである。

しかも、今日版シルクロード＝「一帯一路」構想にもとづく中国経済圏構築の策動は、新興諸国・途上諸国の反発・警戒のゆえに破綻を露わにしている。「中国人村」を現地に移植する方式や、借款を返せなくなったスリランカが港湾を中国に九十九年間も〝割譲〟せざるをえなくなった「債務の罠」——この中国中心の「冊封」体制づくりのような中国式新植民地主義的進出じたいが破綻を露わにしているのである。

しかも、新型コロナのパンデミックにたいする「ゼロコロナ」＝完全封鎖政策の貫徹のゆえに、中国経済じたいが〝凍結〟状態におかれ、経済成長は一気に低落した。そのもとで露わになった〝不動産バブル〟にたいして、習近平政権は、「恒大」のような私営企業への規制強化に重点を置く政策をとった。このゆえに〝不動産バブル〟は破裂し、民営不動産企業は次々に経営破綻に追いこまれ、中国中に建設途上で放置された「鬼城」が現出した。（一二二頁のコラムを参照）

こうしてＧＤＰ経済成長率は、二二年三月にうちだした五・五％の成長目標さえも頓挫し、七〜九月のそれは三・五％程度に低落している。三億人といわれる農民工の多くが失業に追いやられている。都市部若者の失業率は政府の公式発表でさえも二〇％に達し、多くの大学生が卒業しても就職できず、ギグワーカー（宅配労働者など）として最低限の生活を維持することを余儀なくされているのだ。いまや、中国社会のいたるところで「貧困への逆流」という事態が生みだされているのである。

こうした「市場社会主義中国」の諸矛盾の爆発については隠蔽し口を閉ざして、「小康社会は実現された、次は社会主義現代化強国の実現だ」「共同富裕だ」などとほざいているのが習近平指導部にほかならない。現にいま貧窮に苦しんでいる労働者・人民の怒りが習近平指導部に向かうのを恐れる彼らは、「中華民族の夢」なるものをおしだし、労働者人民・学生をモンピーし「夢」にむかって駆りたてることに躍起になっているのである。

しかも、習近平指導部は、党中央の指導に従わぬ労働者人民・学生・少数民族人民を鎮圧し封じこめるために、「国家安全維持法」に示されるように、デジタル監視網を駆使した強権的治安弾圧体制の構築に血眼になっている。今大会の政治報告において習近平は、「法にもとづく国家統治」「国家安全保障と社会の安定確保」などとがなりたて、ネオ・スターリン主義党＝国家による強権的支配体制をよりいっそう強化することを宣言した。まさにそれは、労働者人民・学生の決起を恐れるネオ・スターリン主義中国の窮途末路を示すものにほかならない。

すべての諸君。中国共産党＝国家官僚の専制支配体制のもとで呻吟し・決起している中国の労働者人民・学生にたいする弾圧を許すな。われわれは中国労働者人民・学生に呼びかける。中国共産党はマルクスの労働者解放の思想を破壊した中国版スターリン主義を背骨とするネオ・スターリン主義党だ。この党のスターリン主義的本質に目覚め、真のマルクス主義で武装したたかおう。われわれは、「自由！習近平下台！」を掲げてたたかう中国人民と腕を固く組み、この日本の地において、〈習近平政権による人民弾圧粉砕！〉の闘いに起ちあがるのでなければならない。

不動産バブル崩壊で中国人民の怒り爆発

中国共産党第二十回党大会において習近平は、みずからを党と国家の頭とするネオ・スターリニスト党専制体制を一挙に強化した。けれども、三期目に入るこの政権の足下はいままさに深刻な経済危機に揺らいでいる。

ＧＤＰの三割を占める不動産部門では大手不動産開発企業が軒並みデフォルト危機に陥っただけでなく、習近平政権が実施した銀行への融資規制を引き金にして中国の巨大な不動産バブルが崩壊したからである。

林立する「爛尾楼」

中国では現在、上海、広東省の広州や深圳などの巨大都市から河南省の省都・鄭州市などの地方都市まで、建設工事が中止された数千軒の巨大集合住宅が林立している。天津市の中心部には一一七階・高さ六〇〇メートルもの巨大な高層マンションが工事中止のまま放置されている。こうした不動産物件は「爛《ラン》尾《ウェイ》楼《ロウ》」（尾っぽがしぼんでしまった未完成の建築物）などと呼称されている。いまや、この「爛尾楼」の面積が中国全土でなんと七四億平方メートル、巨大都市・上海（六四億平方メートル）全体がすっぽり入るほどの面積にまで拡大している。「恒大」を筆頭とした不動産開発諸企業が軒並み資金繰りを悪化させ、建設工事を次々と中断し放棄することによって「爛尾楼」が続出したのだ。習近平政権が不動産バブルを破裂させて以後は、建設ラッシュは止まった。しかし「爛尾楼」を完成させる工事を引き受ける民間企業は存在しない。

マンション・住宅の購入者の多くは、血と汗を流して必死に働いて積み上げてきたなけなしの貯蓄のすべてを費やして「終の棲家」を確保しようとした下層の労働者・人民であり、農民工も含まれている。

ところが、不動産開発諸企業は開発工事に着手する前から物件を販売する事前販売方式をとってきたことからして、これらのマンションや住宅の購入者は、契約物件が完成せず引き渡されていないにもかかわらず、銀行の住宅ローンの支払いだけは強制されている。不動産企業から土地（使用権）の売却金をせしめてきた地方政府は、なんらの救済策もとろうとしなかった。未完成の室に住むために自費で壁を塗り窓をつけている人もいるほどなのだ。

住宅ローン返済拒否行動の爆発的拡大

六月末、江西省景徳鎮市で恒大が建設を中止にした未完成マンションの部屋の購入者たちが、ついに銀行にたいしてローンの返済を拒否する行動にうってでた。「庶民の乱」といわれるこの行動は、またたく間に中国全土に広がり、十月初めには全国一一九都市で三四〇件強に達し、拒否者はすでに数十万人にものぼっている。彼らの怒りの矛先は、建設を中止したままの不動産開発諸企業とローン支払いのみを強制している地方国有銀行、そしてこれを放置している地方行政当局からさらに中央政府・習近平政権へと向けられているのだ。

返済拒否者が最も多い河南省の鄭州市では、地方政府と「黒社会」(=暴力団)が結託して銀行を資金集めに利用していたことが露わとなった。これにたいして数千名の預金者が全国から結集して地方銀行を統括する中国人民銀行鄭州市支店の前で一大抗議闘争を展開したのだ(七月十日)。そこでは、「政治の恣意に反対し、河南省政府と黒社会との結託に反対する」「自由・平等・人権・法治」といった政治的スローガンが横断幕に掲げられたのであった。

それだけではない。ローン返済拒否に直撃された銀行が経営破綻し、預金者が押しかける取り付け騒ぎも全国で激発している。そして、この銀行の経営破綻が不動産企業の倒産を加速して経済成長がますます鈍化する悪循環が生じているのだ。

このような事態は、習近平政権が内需主導の経済成長をおしすすめるために住宅需要を煽り、不動産バブルを人為的に創出したことのゆえにひきおこされたものにほかならない。資金をもたぬ不動産開発企業が地方政府と結託し、「予約販売」によってかき集めた資金で巨大プロジェクトを組む、という方式が、巨大資金に群がる投機や汚職の温床となったのだ。

第二十回党大会報告で習近平はほざく。「住宅は住むためのものであり、投機のためのものではない、という見地を堅持する」と。ふざけるな！　このような言辞は、住居を失った労働者・人民を救済するのではなく、一切を「投機」の取り締まりの問題にすりかえ、反抗する人民を弾圧するためのものなのだ。いま、このような習近平に、人民は怒りを爆発させている。

三河健一

22年7月上旬〜12月

ロシアの軍事侵略を打ち砕いたウクライナ軍・人民の戦い

本論文は、本誌第三二〇号に掲載された「ロシアの ウクライナ軍事侵略とウクライナ軍・人民の果敢な反撃」の続編です。

(1) 7月上旬〜9月上旬

東・南部制圧を策すプーチンとウクライナ軍の反転攻勢

ウクライナ軍は、東部ルハンスク州の要衝セベロドネツクにおいて、自軍の十数倍の武器弾薬・兵員を投入したロシア侵略軍との市街地での激烈な白兵戦を戦いぬき、敵に大打撃を与えたうえで、六月下旬にこの地から撤退した。

殺人狂プーチンの軍隊による残虐な無差別爆撃にさらされていた住民を隣接するリシチャンスクへ、さらにこの都市からも避難させたうえで、ウクライナ軍は両市から整然と退却した。来たるべき反転攻勢に備えて戦闘態勢を整えるためであった。

当面の占領地固定化に躍起となるプーチン政権

七月三日、ウクライナ軍のリシチャンスク撤退を見届けたプーチン政権は、「ルハンスク州の全域制圧」を宣言した。プーチンは、三月下旬に「東・南部制圧」に作戦目標を変更して以後初めて手にしたこの〝州単位での占領〟を大々的に宣伝した。

だがプーチン政権は、ウクライナ軍・領土防衛隊・人民の一体となった反撃によって、東部戦線のロシア軍が部隊編成もままならないほどの打撃を受けていたことをひた隠しにしていた。プーチンが送りこんだ大義なき侵略軍の士気は低く、予備役を弾よけとして最前線に立たせたがゆえに大量の戦死者・傷病兵が生みだされた。この穴埋めとして、少数民族の貧しい人民に高給を提示して契約兵を募ったり、囚人に恩赦を与えて民間軍事会社ワグネルに送りこんだりののりきり策をとった。また、最新の武器や弾薬を使い果たして半世紀前の錆びついた戦車や大砲を引っ張りだして戦場に送らざるをえなくなっていた。

こうした惨状であったがゆえにプーチンは、軍を立て直すための当面の時間を稼ぐために、七月三日以後、占領した地域を固定化し・ロシアに組みこんでいく策動に狂奔した。ロシア軍は、ウクライナ各地の住居や学校や病院そして発電所などの民間施設に、もっぱら遠方から旧式のミサイルや砲弾を無差別に撃ちこんだ。ウクライナ人民に恐怖を与えてウクライナ軍・人民の反撃を押さえこみ、そのすきに占領地の固定化＝「ロシア化」策動を一挙にすすめようとしたのだ。

二月二十四日の侵略開始以後に新たに占領した地域——ほぼ全州を掌握したヘルソン州、七割を掌握したザポリージャ州、わずか二割のハルキウ州——において、プーチン政権がでっちあげた「軍民行政府」なるものが、二〇二二年秋にもロシアへの併合の是非を問う「住民投票」を実施すると次々にうちだした。

占領地においてロシア軍は、スターリンの手法をまねて「反ロシア」と見なした住民を選別して拷問にかけ、虐殺し・シベリア送りにしてきた。そして残った住民にたいしては、ロシア国籍を取得することやロシア通貨ルーブルの使用やロシア式の学校教育を強制した。また、ウクライナの放送を遮断して、ロシア国営放送を使ったプロパガンダに狂奔した。

こうした占領地における「ロシア化」と平行して、プーチン政権は、ウクライナを支援する欧米諸国を分断することを策した。ドイツと結ぶガスパイプライン・ノルドストリーム1によるロシア産天然ガスの供給をストップしたのだ(七月十一日)。

これに反発したドイツのショルツ政権は、ＥＵ各国に、一律にガス使用量を削減して対抗することを呼びかけた。けれども、ハンガリーの親露派オルバン政権がロシア産ガスの購入量拡大で応えただけでなく、フランスやスペインなどの権力者も国家エゴイズムをむきだしにして自国のガス使用量削減に反対した。このように足並みの乱れが生みだされたとはいえ、ドイツもＥＵ諸国もウクライナ支援の姿勢を崩さなかった。ウクライナ軍と領土防衛隊と人民が一致団結してロシアの侵略軍と戦いつづけているがゆえである。プーチンの策略は完全に破産したのであった。

また、ウクライナからの穀物輸出を妨害していたプーチン政権は、「ロシアが食糧危機を作りだしている」との国際的非難が高まるなかで、国連とトルコの仲介を受けてウクライナ産穀物の海上輸送再開に合意せざるをえなくなった（七月二十二日）。中東や北アフリカの諸国では、異常気象による飢饉に加えて、ウクライナ産穀物の輸送が途絶えることによって飢餓が一挙に深刻化していた。ロシアへの経済制裁に「棄権」の態度をとっていたこれら諸国を敵に回すことを恐れて、プーチン政権は輸出再開の「四者合意」を結ばざるをえなかったのである。

ところが「合意」の翌日、ロシア軍は輸出港に決定されていたオデーサにミサイルを撃ちこむという蛮行におよんだ。プーチンは、いつでも輸出をストップすることができるぞとおどしつけたのだ。これは、ウクライナに多額の収入をもたらす穀物輸出を認めたくはないが、中東・アフリカ諸国を引きつけるためには穀物輸出を認めざるをえない――こうしたジレンマに陥っていたプーチンの、腹いせ的なあがきにほかならなかった。

ウクライナ軍・人民が南部で総反撃を開始

プーチン政権の「ロシア化」策動にたいして、ウクライナ人民は「ロシアの奴隷には決してならない」と不屈の闘志を燃やして、各州でパルチザン闘争や「不服従」の抵抗闘争をくりひろげた。こうした状況のもとで、ウクライナ軍は七月八日、「南部で本格的な領土奪還作戦を開始する」とうちあげた。プーチン政権がうちだした「住民投票」を粉砕することを当面の目標にして反転攻勢を大々的に開始したのだ。

ウクライナ軍は、被占領地の住民にロシア軍の関連施設に近寄らないように呼びかけたうえで、アメリカから供与されはじめたＨＩＭＡＲＳ（高機動ロケット砲システム、射程七〇キロメートル）を使って、遠方から東・南部四州のロシア軍施設を次々に破壊した。七月十五日には弾薬庫など三十ヵ所以上を破壊、七月下旬にも五十ヵ所以上を破壊というように。これらの的確な攻撃は、被占領地住民の情報提供にもとづいて、パルチザン部隊との連携のもとに連続的に敢行されたのだ。ロシア軍はこの攻撃に戦慄し大混乱に陥った。

　さらにウクライナ軍は七月下旬以降、ヘルソン州を流れるドニプロ川に架かる三つの大橋に次々と攻撃を加えて破壊した。川の西岸のヘルソン市に駐留するロシア軍部隊へのクリミア半島からの物資・兵員の補給を断ったうえで、ヘルソン市周辺の村々から奪還作戦を開始した。二月の侵略開始以後にロシア軍が新たに占領した唯一の州都の奪還に向けて、本格的な攻撃にうってでたのだ。

　八月に入るとウクライナ軍の特殊部隊は、一四年以降ロシア軍に占領され・ロシアが「自国領土」だと主張してきたクリミアにおいて、現地パルチザンや住民と連携してロシア軍の軍事拠点に連続的に攻撃を加えた。

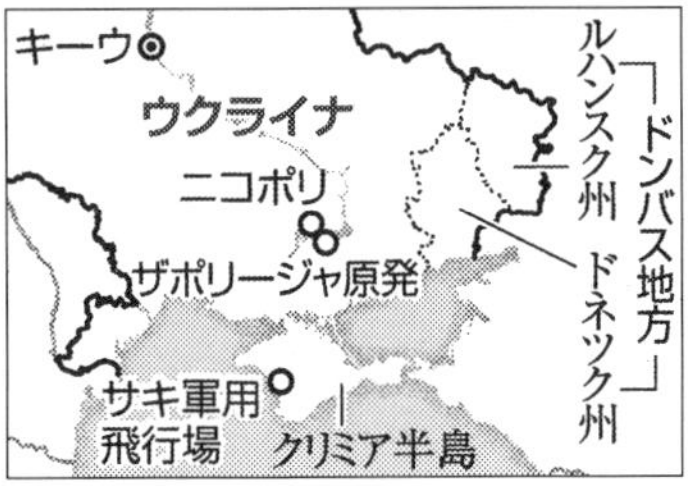

爆破されたロシア軍の戦闘機（サキ飛行場）

　八月九日、ロシア軍の一大拠点サキ飛行場の戦闘機九機を次々に破壊した。弛緩しきっていたロシア軍は大恐慌に陥った。ロシア軍幹部は、内部の動揺を抑えるために当初「失火」などと発表したが、残った戦闘機二十四機とヘリコプター十四機を大慌てでロシアに避難させた。ゼレンスキーは「クリミアで始まったロシアとの戦争はクリミアで終わらせねばならない」（八月九日）と宣言した。ロシア軍による全占領地の奪還を戦闘の目的とすることを、初めて公然とうちだしたのであった。

　八月十六日にはジャンコイ郊外の弾薬庫を破壊、十八日にはセバストポリの軍用飛行場を攻撃、二十日には黒海艦隊の司令部を無人機で攻撃等々。ヘルソン州への兵員と物資の補給拠点であり、ミコライウやオデーサへのミサイル攻撃の拠点ともなってきたクリミアの軍事拠点に、ウクライナ軍・人民は大打撃を与えたのである。

ザポリージャ原発破壊の恫喝をはね返し
全土解放へ前進

　追いつめられたロシア軍は、遠方からミコライウやオデーサに残虐な無差別攻撃をくりかえした。それだけでなくプーチンは最後の手段にうってでた。三月以降五〇〇名の部隊で占拠し軍事拠点・攻撃拠点として活用してきたザポリージャ原発にみずから攻撃を加え、これを「ウクライナ軍の攻撃」とキャンペーンしはじめた。〝原発を破壊してもいいのか〟とウクライナ軍・人民を恫喝したのである。これは米欧諸国権力者ならびに全世界人民にたいする放射性物質拡散の核恫喝でもあった。

八月五日、ロシア軍は稼働中のザポリージャ原発に二度にわたって攻撃をしかけ一基を緊急停止に追いこんだ。八月二十五日には隣接する火力発電所で火災を起こし、原発の運転に不可欠な外部電源をすべて断ちきるという暴挙にうってでた。ウクライナ人労働者が非常用のディーゼル発電機を作動させて、冷却不能──→メルトダウンの危機をかろうじて回避したのであった。

このようにプーチン政権は、みずから核惨事発生の危機を引き起こすとともに、これを利用してIAEA（国際原子力機関）調査団をザポリージャ原発に引き入れた。ロシア軍による占領支配を永続化するために、国際機関をついたてにしようと企んだのであった。だが、招き入れた調査団員が、地面に突き刺さった砲弾はロシア軍の占領地域方面からの発射を示していることを指摘した。プーチン政権の悪辣な手口が暴かれ、その目論見は完全に破産したのである。

ウクライナ軍・人民は、原発への攻撃がロシア軍の仕業にほかならないことを暴きだすとともに、原発周辺のロシア軍拠点や補給路に攻撃をしかけ、もって原発を占拠するロシア軍部隊を孤立化させていった。プーチンの核恫喝にひるむことなく断固として戦いぬいたのだ。

九月五日、ヘルソン州のでっち上げ暫定行政組織は、九月十一日のロシア統一地方選挙に合わせて強行しようとしていた「住民投票」を延期すると発表した。ウクライナ軍と人民は、プーチン政権が企んだ南部の「ロシア化」策動を、その端緒において打ち砕いたのである。

そして同時期、東部ハルキウ州においてウクライナ軍は、占領ロシア軍を一掃する電撃作戦を開始した。

（2）9月上旬〜11月下旬 戦況の逆転とプーチンのあがき

ウクライナ軍・人民は九月に入るや、満を持して反転攻勢にうってでた。すでに彼らは、ヘルソンとザポリージャの二州とクリミアにおいて正規軍戦とパルチザン戦を組みあわせた総攻撃をしかけ、八月の戦闘をつうじてロシア占領軍に南部への部隊移動を強制していた。そう

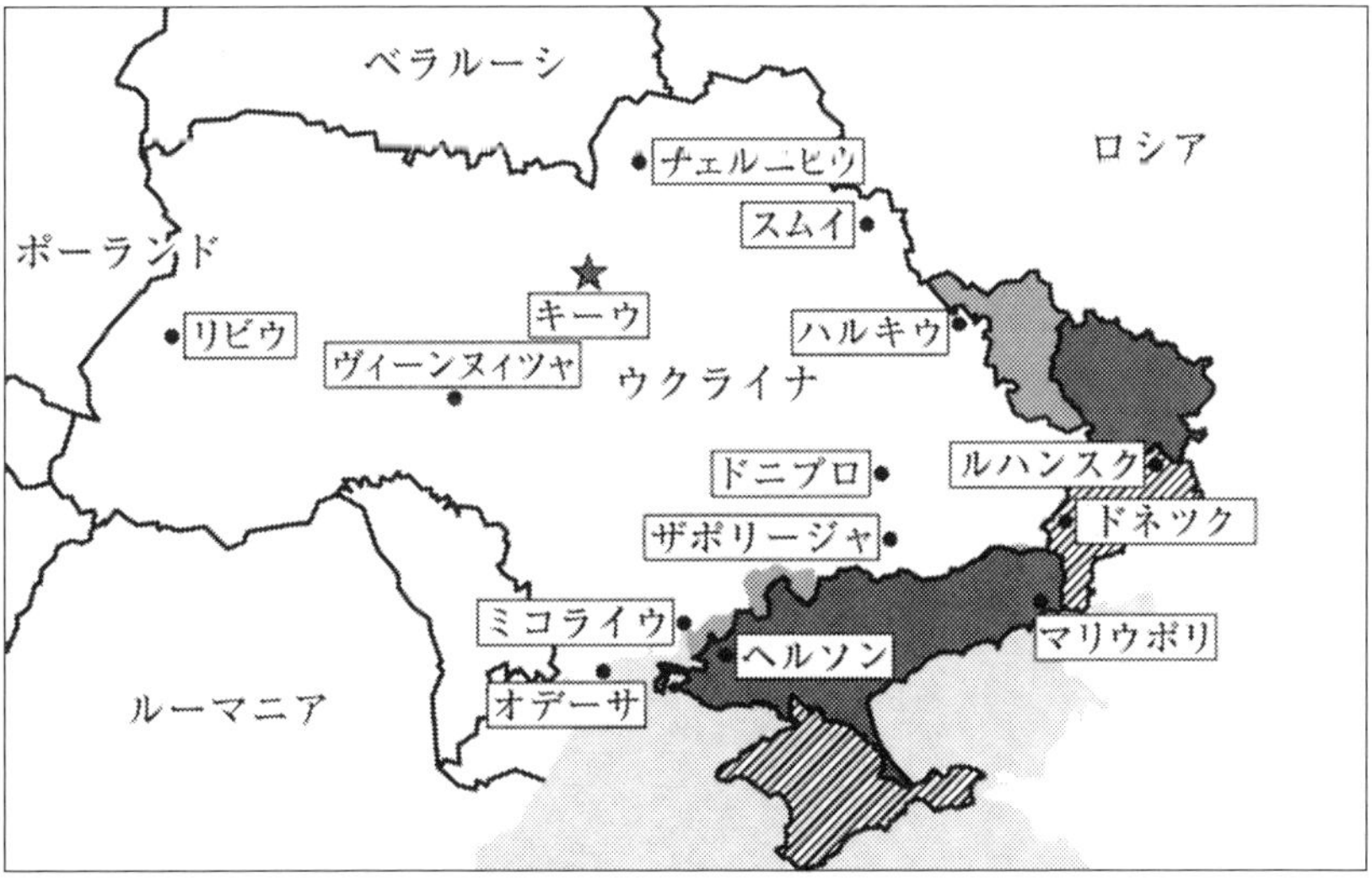

ウクライナの反攻地域　ロシアの進軍地域　（2022年10月上旬時点）
2022年2月24日以前にロシアが支配していたウクライナ領

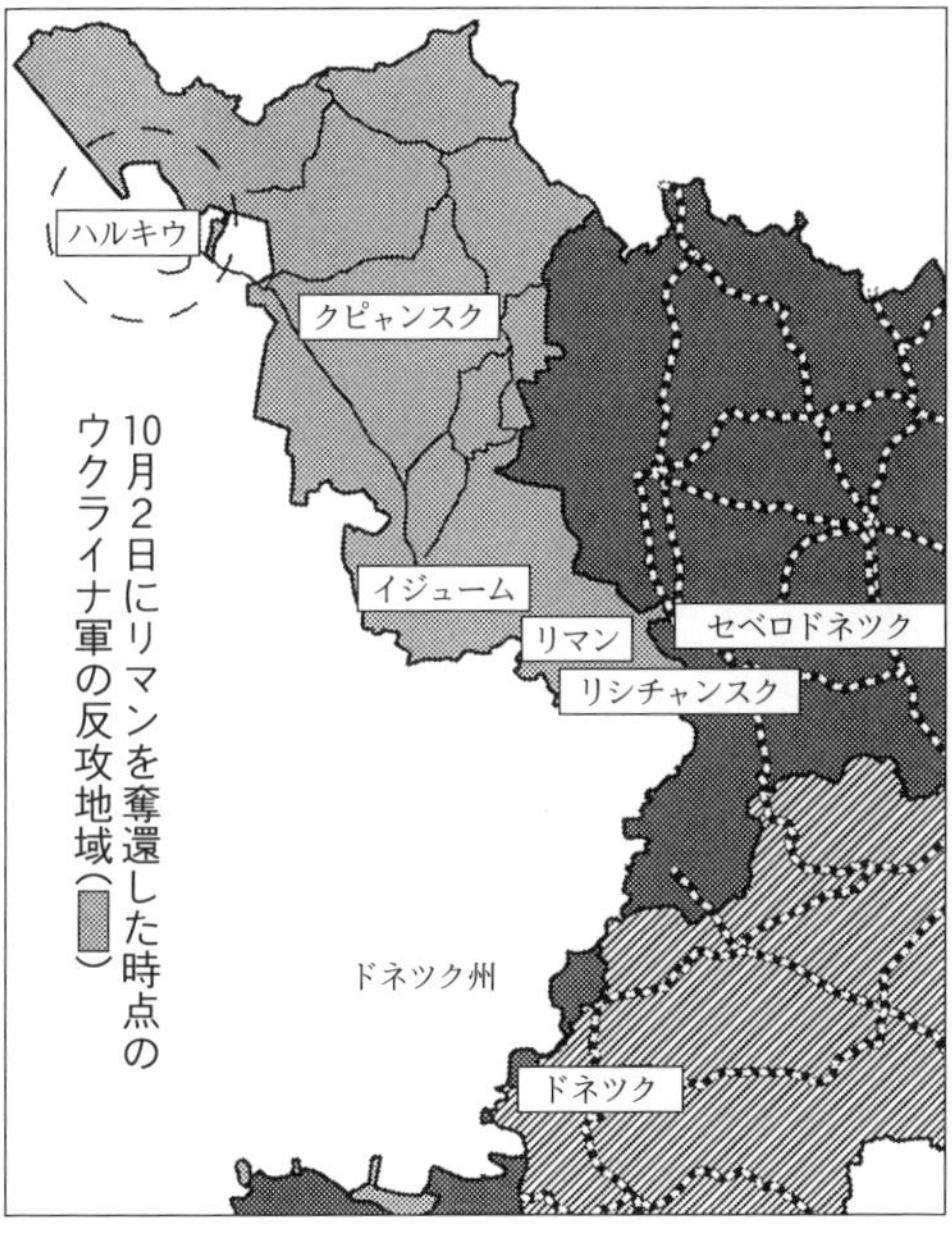

10月2日にリマンを奪還した時点のウクライナ軍の反攻地域（　）

して手薄になった東北部ハルキウ州への電撃作戦を敢行し、この州全州を解放するという画期的な戦果をかちとったのである。

ハルキウ州奪還の電撃作戦

作戦は次のように計画され遂行された。

まず、ウクライナ軍とハルキウ州占領地の労働者・農民が連携して、ＨＩＭＡＲＳや自走榴弾砲を入手した七月いご、占領軍を包囲し消耗させる作戦を執拗に続けた。

州の大部分が森林という地の利を生かし、地面が葉で隠される季節の利を生かして、森から現れては森に散開する戦法でロシア軍をじわじわと弱体化させたのである。

他方ヘルソン州では八月の末までに、ウクライナ軍と占領地のパルチザンがヘルソン市へ通じる橋とロシア軍の補給路をすべて破壊し、〝陸の孤島〟となったドニプロ川西岸の三万ロシア軍にたいする激烈な包囲戦を九月初頭から開始した。ヘルソン市の占領当局は、「住民投票」どころではなくなって「延期」を発表した。そのまさに翌日の六日に、見事に裏をかいて、ハルキウ州占領地奪還作戦が開始されたのだ。

ハルキウ州の広大な森林に部隊を送りだし防備が手薄になっていたロシア軍の司令拠点イジュームに目標を定め、ウクライナ軍は、森に隠していたこの地域の全火力をこの一点に集中して突撃した。そしてわずか五日でここを陥落させたのだ。司令部は遁走し、司令部を失ったこの州のロシア軍は重火器をすべて捨てて散り散りになって四方八方に逃げまどった。こうして九月十五日には、ハルキウ州全州を解放したのである。

この戦いは、ロシアのウクライナ侵略戦争の戦況を大きく逆転するくぎりをなしたといえる。それだけではない。「ノボロシア奪還」という、プーチンがキーウ占領作戦の敗退後に掲げ直した侵略のシンボルを打ち砕き、皇帝気取りのこの男の面子も丸つぶれにしたのだ。

同じ九月十五日に開催された上海協力機構（ＳＣＯ）首脳会議において、ＳＣＯ諸国権力者から「特別軍事作戦」への支持をとりつけようとしたプーチンは、習近平からは冷たくあしらわれ、インドのモディからは「今は戦争の時代ではない」と説教されたほどであった。このように、ハルキウ州解放戦の勝利によってウクライナ人民はプーチンの国際的孤立をもつくりだしたのである。

動員令で墓穴を掘ったプーチン

このままでは占領地が次々と奪還される、と危機意識をむきだしにしたプーチンは、占領地の現状固定に狂奔しはじめた。九月二十一日に、東・南部四州のロシア軍占領地の「ロシア領への編入」の是非を問う「住民投票」なるものを実施すると発表し、それと同時に、「ロシア領への攻撃にはあらゆる手段で反撃する」と宣言した。ウクライナ軍の進撃、とりわけヘルソン市奪還作戦をくいとめる最後の手段として、核恫喝に訴えたのだ。

同時にプーチンは、ロシア軍の崩壊をくいとめるために三〇万人もの新兵を徴集する「部分動員令」を発令した。だが、この措置によってプーチンはまさに墓穴を掘

動員令に反対して決起（９・21、モスクワ）
プラカードは「墓場への動員反対」

ったのだ。動員拒否のデモが即日、全国でいっせいに始まり、大量の国外脱出が止まらなくなった。それだけではない。徴集された動員兵たちが錆びた銃を与えられ、装備は自分で買えと言う当局に怒りを爆発させる場面がＳＮＳで次々に流された。前線に送られてもなお、彼らの一部は集団で戦闘拒否行動を起こし、それが不可能な場合には計画的に脱走し投降した。ウクライナ北隣りのベルゴロド州の訓練場では、タジキスタン出身の二人のムスリムが小銃を乱射し十数人を死傷させる事件が生起したほどだ（十月十五日）。

　動員令による兵員補充の目的は、彼らを〝肉弾〟にして前線を維持し、正規軍部隊の壊滅を防ぐことにある。十一月上旬にルハンスク州の前線でスコップもなく素手で塹壕を掘らされていた動員兵五〇〇人以上が爆撃を受けて戦死したのであるが、将校どもは遁走していた。将軍や将校が次々に戦死し指揮系統がズタズタのロシア軍、これをなんとか維持しようとして、動員兵を砲弾の矢面に立たせているのがプーチンなのだ。この殺人鬼は、スターリンが「大祖国戦争」で用いた「督戦隊」（前線から逃げないように自国兵を背後から銃で脅したり脱走兵を処刑したりする部隊）を編成・配置してもいる。

　だが、このような動員によってロシア軍の士気はますます低下するばかりだ。自殺やアル中死が続出しているだけでなく、指揮の乱れや恐怖による同士討ち、さらに「督戦隊」との戦闘などが続発し、同士討ちによる戦死者の比率は六〇％にのぼるという者もいるほどだ（ベトナム戦争では一四％）。

　こうして軍内のいたるところに反乱の芽が育ちはじめた。このことや国外脱出が止まらないことに危機感を募らせたプーチンは、ついに「動員完了」を宣言し、のりきりのために殺人犯などの懲役囚を動員可能にする大統領令を発したのだ（十一月四日）。まさに打つ手なしのプーチンの断末魔。

生活インフラ破壊と核恫喝をはねかえす戦い

プーチンは、二月の侵略戦争開始後に制圧した地域の「独立」と、東・南部占領地全域の「ロシア領編入」をでっちあげる住民投票を強行した（九月二十三〜二十七日）。そして、でっちあげたこの「ロシア領」を守るためと称してウクライナ全土への徹底的なインフラ破壊攻撃にうってでるとともに、戦術核兵器使用をほのめかし「汚い爆弾」による放射能汚染や「ダム爆破」による大洪水などをキャンペーンするという「心理戦」をもいっせいに開始した。彼は、二月以後に強奪した唯一の州都であるヘルソン市とヘルソン州のドニプロ川西岸を、占領地死守の最前線とみなして、一連の策動を開始したのである。

ウクライナ軍はこの地域を完全包囲して以後、九月と十月の二ヵ月にわたって猛攻撃を加え、ヘルソン市ではパルチザン部隊が連日のようにロシア軍施設への攻撃をくりかえした。この市の陥落は時間の問題となりつつあったがゆえに、プーチンはウクライナ軍と人民、とりわけ後者に苦痛と恐怖を与えて屈服を迫るという卑劣きわまりない手段を行使したのだ。

その第一が、ウクライナの労働者・人民の命綱というべき生活インフラの徹底的破壊である。十月八日にクリミア大橋が爆破されたことをきっかけにして、十日からそれは開始され、現在もなお止むことなく続けられている。

ロシア本土とクリミアを結ぶ唯一の補給路でありロシア系住民の本土への唯一の避難陸路でもあるこの橋が爆破され一部が崩落した。このことに驚愕し血迷ったプーチンは、厳冬をまえにして、ウクライナの全住民に直接に苦痛を与える最も卑劣な手段として電力をはじめとする生活インフラの破壊にうってでたのだ。

ロシア軍の残された数少ない精密誘導弾を火力発電所・水力発電所・送電システムなどに向けて連日発射し、復旧してもただちに同じ施設を破壊するという攻撃を、プーチンは軍に命じた。全力で復旧しても追いつかず、ウクライナ全土で必要な電力の半分が使えない状態が生みだされた。ウクライナ政府は、工場の稼働と前線への食糧・武器・物資・人員などの輸送を最優先にする計画停電体制をとった（十月二十日いご現在まで）。

この体制のもとで、ウクライナの労働者・人民は全土で暖房なし・照明なしの越冬を強いられた。しかし彼らは、凍えと飢えと闇を強制して屈服を迫るプーチン・ロシアにますます怒りを燃やし、ありとあらゆる工夫をこ

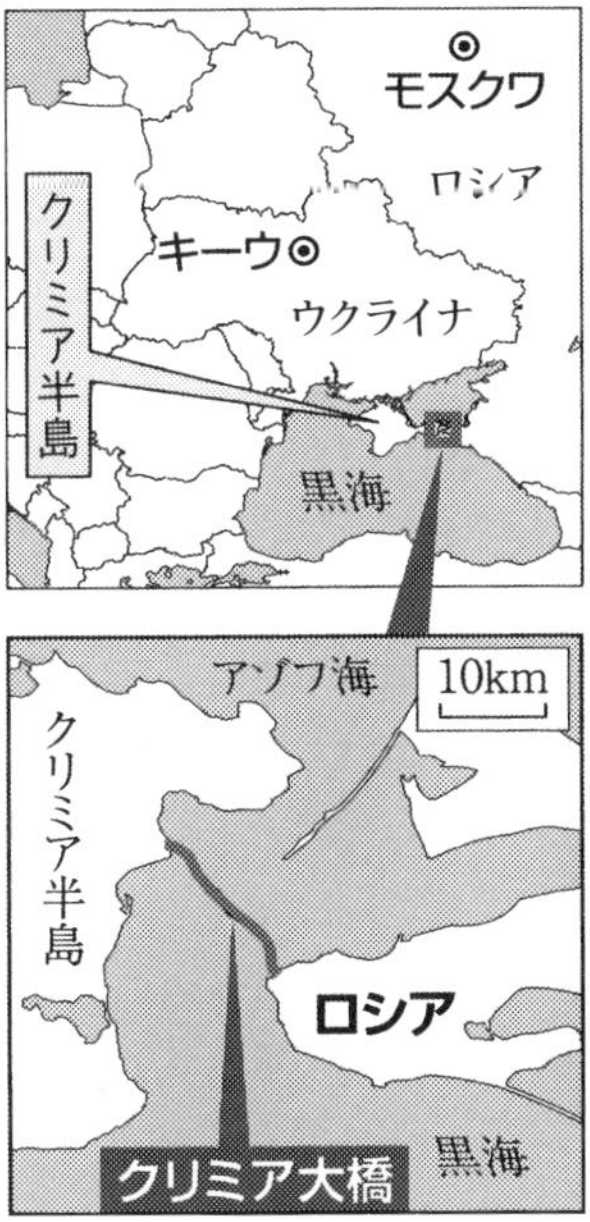

クリミア半島とロシア本土を結ぶ唯一の陸路クリミア大橋が一部崩落、鉄道も炎上（10月８日）

らしてこの困難に耐え、前線を支えた。そして今も支えつづけている。

農村地帯では、ただちに薪割りが開始され、薪ストーブが全戸配布された。都市では発電機が配布され、暖をとるためのプレハブが配置された。農村や国外への冬期移住計画も実施された。暗闇のなかでもカンテラやロウソクで子どもの勉強と遊びを絶やさぬ工夫と努力が続けられている。

第二に、プーチンは戦術核兵器使用や「汚い爆弾」投下、「ダム爆破」などの可能性に言及して脅迫する、という「心理戦」を、とりわけヘルソン市陥落寸前の十月中旬から下旬にかけてエスカレートさせた。けれども、ウクライナの労働者・人民は、この恫喝をも敢然とはねかえしたのだ。

ウクライナの兵士も人民も、かのチェルノブイリの大惨事と、これをのりこえてきた過去を想起したにちがいない。狂乱化したプーチンが本当に核兵器を投下するかもしれないという可能性を措いて、そのような場合にも備えてヨウ素剤を配布し、彼らは戦いつづけている。

ウクライナ人民の不屈の闘志をつきつけられ核恫喝にたいする国際的非難によってますます孤立したプーチン

はついに、核恫喝をはじめとする一連の「心理戦」がなかったかのように、「ロシアは核兵器を使用すると言ったおぼえはない」とシラを切った(十月二十七日)。ウクライナ軍と人民の固く団結した力によって、このプーチンの最後のあがきをも粉砕したのである。

(3) 11月上旬～12月　ヘルソン市解放と厳冬下の戦い

停電のもとでも全力で前線を支えたウクライナの労働者・人民の団結の力に鼓舞されて、ウクライナ軍と領土防衛隊、占領地のパルチザンは一丸となってヘルソン市解放戦に全力を投入した。そしてついに十一月十一日に、この市を奪還するという偉大な勝利をかちとった。

併合宣言からわずか一ヵ月、唯一の州都を奪還

三月に占領して以後、プーチンは占領地唯一の州都ヘルソン市を「ノボロシア奪還」の象徴として、またオデーサへの進撃の最前線として、八ヵ月余にわたって占領してきた。この市を死守するために、八月いご三ヵ月にわたり、ロシア軍主力部隊を全力投入してきた。これを打ち破るために、ウクライナ軍もまた、ハルキウ州解放作戦の遂行過程においても中断することなく奮戦を続けてきたのだ。

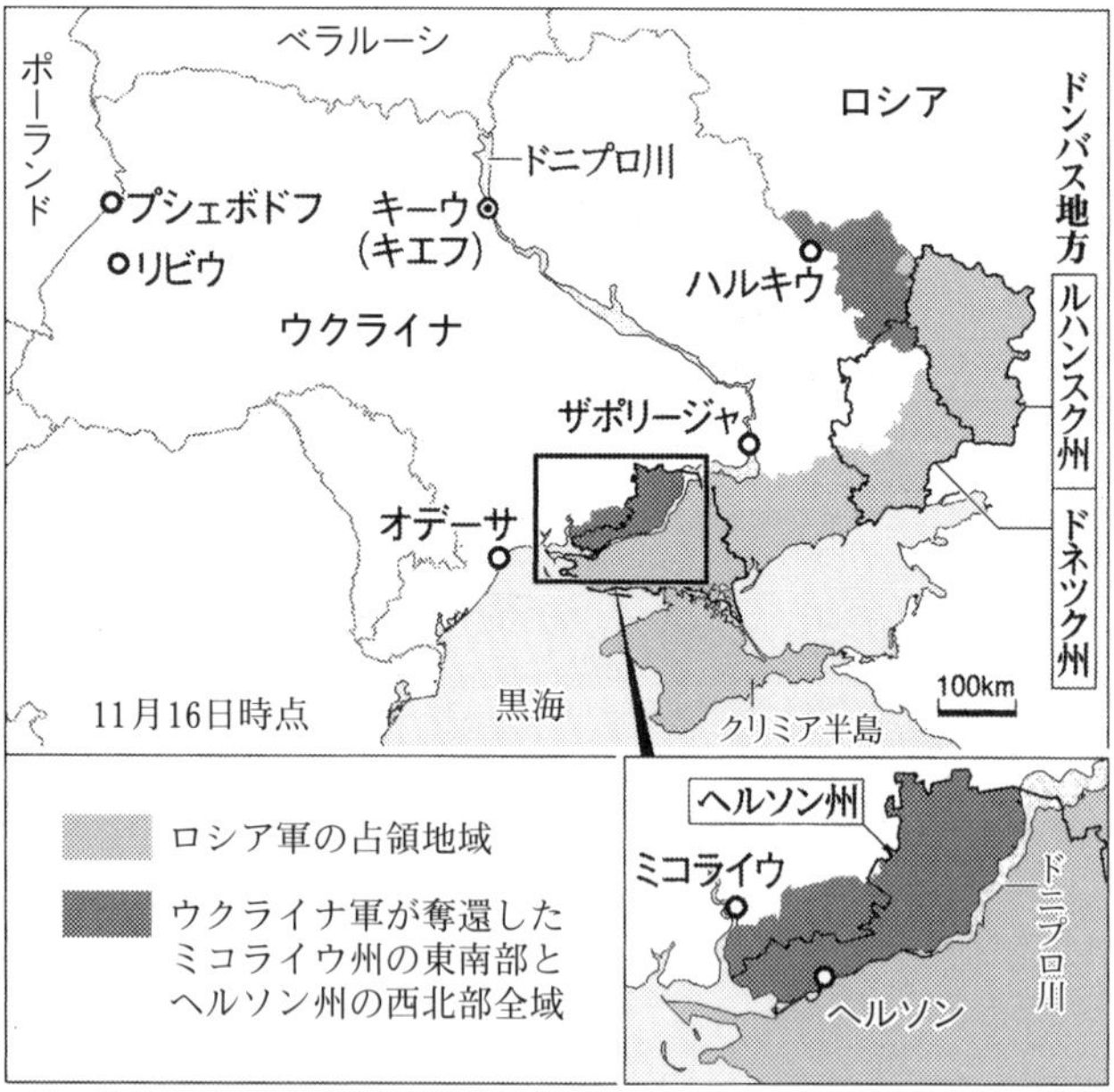

そしてついに、ウクライナ軍はロシア軍主力部隊三万人をドニプロ川西岸全域から東岸に叩きだした。十一月

十一日に、八ヵ月もの占領と暴虐——選別、拷問、処刑、強制移住、ロシア語強制などのありとあらゆる暴虐に耐えてきたヘルソン市民の歓呼に迎えられて入城を果たしたのである。まさにここにおいてウクライナ軍と人民は、キーウ侵攻軍撃退とハリキウ州解放に続く第三の、決定的な勝利をかちとったのだ。この勝利はまた、プーチンの「ロシア領への併合」宣言をわずか一ヵ月にして粉砕したという意味で、偉大な政治的勝利にほかならない。

ヘルソン市解放に沸きたつ労働者・人民

　だが、ここで米・欧諸国の一部権力者のなかから、ウクライナ支援の見直しを求めたり停戦交渉の開始を求める動きが始まった。米中間選挙にさいして共和党トランプ派がバイデンのウクライナ支援策に反対する動向を示したり、マクロンがロシア・ウクライナの停戦協議を呼びかけたりもした(十一月十七日)。けれども、これにたいしては、いち早くゼレンスキーが「全領土回復」などロシアが絶対に呑めない五項目を「交渉の前提条件」としてつきつけたのであった。他方では、米中間選挙でトランプ派の凋落が歴然となり、これに助けられたバイデン政権が「ウクライナに停戦を呼びかけることはしない」と明言した(十一月十八日、米NSC調整官カービー)。このことによって、「停戦」ムードはかき消え、米・欧権力者はウクライナ支援の継続を確認したのである。彼ら権力者どもの動揺を打ち砕いたのも、根本的にはウクライナ人民の不退転の決意であり団結の力なのだ。

厳冬の戦い

　いまウクライナの軍・領土防衛隊と労働者・人民、そして占領地のパルチザンはうって一丸となって厳冬のただなかで厳しい戦いを続けている。彼らはいま、以下の各戦線で奮戦している。

　ヘルソン州においては、この州のドニプロ川東岸地域をいまなお占領しているロシア軍を叩きだすために、ドニプロ川東岸に砲列を敷くロシア軍を撹乱するゲリラ戦法をとって戦っている。

ザポリージャ州においては、この州の中心都市メリトポリでのパルチザン戦を続けると同時に州の西北端に位置するザポリージャ原発のロシア軍を包囲する戦いをおしすすめている。他方、すでにロシア軍は諸物資の略奪を始めており、原発から撤退したうえで、この原発を外部から砲撃する布陣をとりはじめた可能性がある。

東部において、ウクライナ軍は全州をロシア軍に占領されたルハンスク州の奪還にむけて、十月二日に奪還したドネツク州北部の要衝リマンを拠点にしてセベロドネツクへの進軍を開始した。他方、ドネツク州の最前線バフムトでは、この都市に一部突入して暴虐をきわめる殺し屋集団ワグネルとの血みどろの戦いをすでに数ヵ月にわたってくりひろげている。

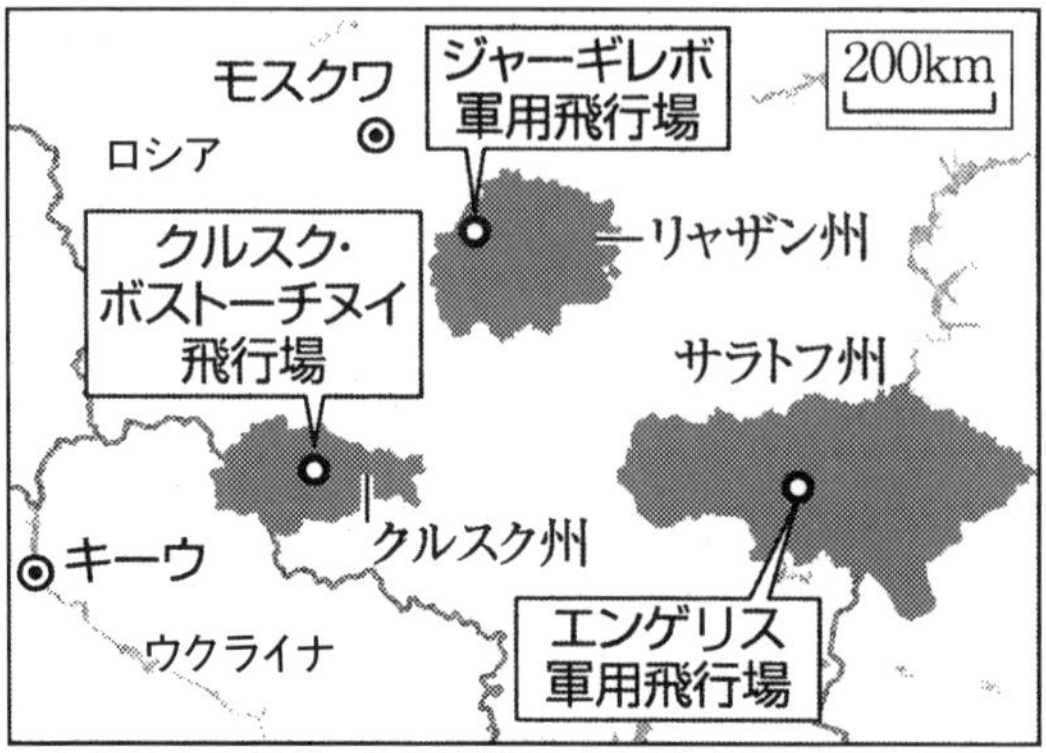

ウクライナ軍がロシア軍基地を攻撃（12月５日、６日）

これらの戦いをつうじて各地の前線でロシア軍を一歩ずつ押し返しながら、ウクライナ軍は数百キロメートル後方のロシア本土の基地を爆撃する攻撃を開始した。十二月五日、ウクライナへの攻撃の拠点となってきたロシア南部のエンゲリス空軍基地（ウクライナの前線から七〇〇キロメートル）など二ヵ所に飛行能力一〇〇〇キロメートルのドローンを飛ばして航空機を損傷させ、戦略爆撃機などを大慌てで空港から東方へ退避することを余儀なくさせたのである。

ドローン攻撃は六日と二十六日にもくりかえされ、ロシア軍の核戦略システムにも少なからぬ打撃を与えた。しかも、ウクライナ政府は、この攻撃について「理解する」という言質をアメリカ権力者からひきだした。八月のクリミア攻撃にさいして「自国領内で定めた目標」であればクリミアを攻撃しても非難しないと米政府に言明させたのであったが、この確認をロシア本土にも拡大させたのである。

ウクライナ軍・領土防衛隊・人民は一丸となってありとあらゆる力を結集し工夫をこらして、氷点下二十度の厳冬のただなかで勇猛果敢にいま戦っているのである。

ロシアの侵略とウクライナ軍・人民の戦い

22年	ウクライナとロシアの動向
2・24	プーチンの号令のもとに露軍がウクライナに軍事侵攻。首都キーウ（キエフ）・ハルキウ・オデーサなどの都市を空爆、北部・東部・南部から一斉に侵攻。チェルノブイリ原発を占拠。キーウ制圧作戦を開始
	ウクライナ大統領ゼレンスキーが徹底抗戦を呼びかける
3・4	露軍が稼働中の欧州最大のザポリージャ原発を砲撃・占拠
3・6	ロシア全土でウクライナ侵略に反対する抗議行動
3・25	ウクライナ軍・人民が露軍のキーウ制圧作戦を粉砕。露国防省は敗北をごまかすために「作戦の第一段階終了、東部地域に重心を移す」と発表
4・2	キーウ近郊ブチャなどで露軍による住民の拷問・処刑が明らかに
4・17	露国防省がマリウポリのウクライナ軍に投降を要求、ウクライナは拒否。露軍は18日からアゾフスターリ製鉄所に大規模攻撃
5・9	プーチンが対独戦勝記念式典で演説、戦果を示すことができず「米欧が対話拒否」と弁解に終始
	〔以上詳しくは本誌第三一九号八四頁～の年表を参照〕
5・16	ウクライナ軍がたてこもっていたマリウポリの製鉄所から地上にあらわれる
5・20	ロシア国防省が製鉄所完全制圧と発表
6・14	ロシア国防省がルハンスク州セベロドネツクの化学工場にたてこもるウクライナ兵に投降を迫る
6・25	ウクライナ軍がセベロドネツクから撤退
	ウクライナ軍がＨＩＭＡＲＳによる攻撃を初めて実施と発表
7・3	露国防省が東部ルハンスク州リシチャンスクを制圧し州全体を占領と発表
7・22	ウクライナ・ロシア・トルコ・国連4者協議でウクライナ産穀物を輸出する

関連する世界の動向

・米・欧が露金融機関を国際銀行間通信協会（ＳＷＩＦＴ）から排除（2・26）

・国連緊急特別総会で露軍即時撤退を求める決議、賛成141・反対5・棄権35（3・2）

・米国務長官ブリンケンと国防長官オースティンがそろってキーウ訪問、7億ドルの軍事支援を表明（4・24）

・米主催でウクライナ支援40ヵ国協議、ＮＡＴＯ諸国・日・韓・豪など参加（4・26）

・仏・独首脳がモスクワ訪問、プーチンとウクライナ停戦を協議（5・28）

・ＥＵが海上輸送によるロシア産石油輸入禁止で合意。ハンガリーの反対でパイプライン経由は例外に（5・30）

・中国の5月原油輸入先がサウジアラビアを抜いてロシアが第一位に（6・20）

・ＥＵ首脳会議でウクライナとモルドバを

黒海「回廊」設置を合意

7・23 露軍が穀物輸出港に指定されたオデーサの港湾施設にミサイル攻撃

7・25 ウクライナ国防省がＨＩＭＡＲＳで露軍の弾薬庫50ヵ所を破壊と発表

7・29 ドネツク州の親露派の捕虜収容所で爆発、アゾフスターリ製鉄所で捕虜になったアゾフ連隊の兵士ら50人以上が死亡。「ウクライナの攻撃」と称してロシアが捕虜を虐殺

7・31 ウクライナがクリミア・セバストポリの黒海艦隊司令部を無人機で攻撃

8・1 米政府がウクライナに5・5億ドルの新たな軍事支援と発表。19日に7・7億ドル、24日に過去最大の30億ドルの追加支援と発表。米国からの支援は130億ドルをこえる

8・5 露軍が占領中のザポリージャ原発を砲撃しウクライナの仕業と宣伝

8・9 ウクライナがクリミアの露軍サキ空軍基地を攻撃、軍用機9機を大破。露軍は残った軍用機24機などを露領内の基地に撤収。ゼレンスキーは「クリミアで始まった戦争はクリミアでおわらせる」と演説

8・11 露が提案しザポリージャ原発問題で国連緊急安保理事会を開催。事務総長グテレスが「非武装地帯設置」を要求、ロシアは拒否

8・14 ウクライナ軍がルハンスク州の民間軍事会社ワグネルの基地を攻撃

8・16 ウクライナがクリミア北部ジャンコイ郊外の露軍弾薬庫を爆破

8・18 国連事務総長グテレス、ゼレンスキー、トルコ大統領エルドアンがザポリージャ原発のＩＡＥＡ調査をめぐってウクライナ・リビウで会談。エルドアンの停戦協議再開提案をゼレンスキーは拒否

8・20 ウクライナがクリミアのセバストポリ露軍黒海艦隊司令部をドローン攻撃

8・24 露軍が東部チャプリネの鉄道駅などを砲撃。クリミア攻撃への報復

8・25 露軍の攻撃によってザポリージャ原発隣の火力発電所が火災。原発への電力供給がすべてストップ、非常用ディーゼル発電機が作動

8・29 ウクライナ軍がヘルソン市の露軍への補給路となっている橋を破壊、ドニプ

EU加盟候補国として承認（6・23）

・ＢＲＩＣＳオンライン首脳会議で習近平がロシア制裁反対の演説、「対話支持」の共同声明（6・23）

・G7首脳会議（ドイツ）。露による「穀物の兵器化」を非難、アフリカ諸国など途上国支援で合意（6・26〜28）

・ＮＡＴＯ首脳会議、「アジア太平洋パートナー」として日・韓・豪・ＮＺが初参加。露を「最も重大で直接的な脅威」と規定し「敵国」と断じ、中国の脅威も明記する新「戦略概念」を決定。フィンランドとスウェーデンのＮＡＴＯ加盟がトルコの賛成で確実に（6・28〜30）

・G20外相会合、ウクライナがオンライン参加。食糧・エネルギー危機の責任をめぐり米・欧と露が応酬（7・7〜8）

・露がドイツへのガスパイプライン「ノルドストリーム」を停止（7・11）。その後再開するが供給量を20％に削減（7・27）

・プーチンがテヘランでイラン・トルコ大統領と会談。イランとは軍事・経済協力を確認、トルコとは穀物輸出をめぐって協議（7・19）

・露外相ラブロフがエジプト・エチオピア・ウガンダ・コンゴ共和国を歴訪。穀物

	ロ川西岸の奪還にむけ一斉大攻撃
9・1	IAEAが露占領下のザポリージャ原発で調査（～5日）。その後2名の監視員が常駐
9・4	ウクライナ首相がEUから約7000億円の軍事支援を受けると発表
9・5	ヘルソン州の親露派行政組織が、露への併合にむけて9月11日に実施すると計画していた住民投票を当面延期と発表
9・10	ウクライナ軍がハルキウ州イジュームを電撃作戦で奪還。露軍は兵器を捨てて撤退
9・11	IAEAがザポリージャ原発の稼働停止を発表
9・13	ハルキウ州バラクリアで露軍の拷問施設を発見
9・15	ゼレンスキーがハルキウ州で400の集落を奪還、15万人を解放と宣言。イジュームで約440人の遺体が埋葬された集団墓地がみつかる
9・19	露軍が南ウクライナ原発にミサイルをうちこむ
9・21	プーチンが予備役30万人招集の部分的動員令発令。東・南部4州でのロシアへの併合のための「住民投票」開始を発表。「領土の保全が脅かされればあらゆる手段をつかう」と核恫喝
	ロシア各地で部分的動員令反対のデモ。38都市で1400人以上が拘束
9・23	ウクライナ東・南部4州の「住民投票」開始。「ロシアへの編入賛成が90%以上」とでっち上げて発表（27日）
9・29	プーチンが南部2州を「独立国家」と承認。東・南部4州の併合条約調印（30日）
9・30	ゼレンスキーが露による4州併合への対抗措置としてNATO加盟を申請
10・2	ゼレンスキーがドネツク州北部の鉄道の要衝リマンを奪還と宣言
10・5	プーチンがザポリージャ原発を政府の管理下におく大統領令に署名
10・8	露本土とクリミア半島を結ぶクリミア大橋で爆発、橋が一部崩落
10・10	露軍がクリミア大橋爆破への報復の名のもとにウクライナ全土20都市に84発のミサイルをうちこむ。エネルギー関連のインフラ施設を破壊

合意などを手土産にアフリカ諸国の抱き込みをはかる（7・24～28）

・米下院議長ペロシの台湾訪問（8・2）に対抗して中国軍が台湾を囲む6ヵ所で重要軍事演習、台湾周辺海域にミサイルをうちこむ（8・4～7）

・露軍が極東で軍事演習「ボストーク2022」、中・印など14ヵ国参加（9・1～7）

・露が北朝鮮から数百万発の弾薬を購入の動きと米政府が報じる（9・6）

・サンクトペテルブルクの地区評議会がプーチンを国家反逆罪で起訴するという決議案（9・7）。8日にはモスクワの地区評議会がプーチン辞任要求の決議案

・アルメニアとアゼルバイジャンがナゴルノカラバフ領有をめぐって軍事衝突、死者100人規模。ナゴルノカラバフ駐留露軍は介入せず（9・13）

・SCO（上海協力機構）参加の習近平とプーチンがウクライナ侵略後初の会談。対米での結束を確認しつつも共同声明をださず、習はひややかに対応（9・15）

・SCO首脳会議。共同宣言で「多極的国際秩序の強化」を謳う、ウクライナには言及なし（9・15～16）

10・15 ロシア・ベルゴロド州の訓練場で動員兵が抗議の銃乱射、11人死亡

10・17 露軍がキーウ、ドネツク州、ヘルソン州、ビンニツァ州など25ヵ所以上の居住地をミサイルやイラン製ドローンで攻撃

露大統領報道官が「併合」したウクライナ東・南部4州にはロシアの「核の傘」が適用されると言明

10・18 ゼレンスキーがロシアの攻撃によって国内発電所の30％が破壊され全土で大停電とロシアを非難

露軍総司令官スロビキンが「ウクライナがヘルソン州のカホフカ水力発電所のダム破壊の攻撃を準備」と主張。ゼレンスキーが「露軍がダムに爆弾をしかけたという情報がある」と非難（20日）

10・19 プーチンが東・南部4州への戒厳令発令、ウクライナ住民を露軍に動員することを企む

10・20 ウクライナ全土で計画停電を開始

10・23 露国防相ショイグが米・英・仏・トルコの国防相との電話会談で「ウクライナが汚い爆弾を準備」と核恫喝。国連に同趣旨の書簡（24日）

10・26 ロシア陸海空軍の核戦力部隊がプーチンの指揮で核攻撃演習を実施

10・27 プーチンがロシア専門家を招いた会議で「核使用」についてロシアから「言及したことはない」としらをきる発言。核恫喝をとりさげる

10・28 ショイグが予備役30万人動員完了を報告、青年の国外脱出を防ぐため。プーチンは大統領令は出さず（31日）その後も動員を継続し兵員上積みを策す

10・29 ロシアがウクライナ産穀物輸出をめぐる4者合意の履行を停止。ロシア非難がおこり11月2日に合意に復帰

11・4 ロシアで強盗や殺人などで服役中の受刑者も動員可能にする法が成立

11・7 ゼレンスキーが米欧から対露交渉を迫られ「領土回復・全損害賠償・戦争犯罪人の処罰」など露が受け入れ不可能な5つの前提条件を提示

11月初めに東部ルハンスク州に配置された動員兵1個大隊の500人以上がウク

・プーチンと会談した印首相モディが「いまは戦争の時代ではない」と発言（9・16）
・露の国民的歌手プガチョワがSNSでプーチンのウクライナ侵略を批判（9・18）
・露が「ノルドストリーム1・2」をバルト海で爆破（9・27）
・G7首脳がオンライン緊急協議。10月10日の露軍によるウクライナへの報復攻撃を「最も強い言葉」で非難（10・11）
・国連総会がロシアによるウクライナ4州併合を「違法で無効」とする決議。賛成143、インドや中国など棄権35、北朝鮮やロシアなど反対5（10・12）
・印国防相シンがショイグとの電話会談で「核の選択肢に頼るな」と発言（10・26）。中国外相・王毅が露外相ラブロフに〝核使用はやめよ〟と電話で通告（10・27）
・米政府が「核戦力体制見直し」を発表。「核先制不使用」は宣言せず。ロシアだけでなく、中国の「核先制使用の可能性」にも言及（10・27）
・G7外相会合でウクライナの越冬態勢支援を確認（11・3）
・米議会中間選挙投票（11・8）。上院選では与党・民主党が多数派を維持、下院選

	ライナ軍の攻撃によって全滅と露系独立メディアが報道。動員兵は塹壕を素手で掘らされ将校は戦線逃亡
11・9	ショイグがヘルソン市を中心とするドニプロ川西岸からの露軍の撤退を命令。露軍は撤退前にTV局や電力施設を破壊 ロシア安全保障会議書記パトルシェフがイランで大統領ライシらと会談、イラン製ミサイルのロシアへの供与を協議
11・11	ウクライナ国防省がヘルソン市の奪還を宣言。2月の侵略開始以後に露が唯一占領していた州都を奪還
11・15	露軍がウクライナ全土の電気・水道などエネルギー施設に90発以上のミサイル攻撃、侵攻以来最大の規模。ポーランド東部にウクライナの迎撃ミサイルが着弾し2人死亡、16日に米・欧は「露に最終的責任がある」と表明
11・17	ウクライナ産穀物輸出をめぐる4者合意の120日間延長が決定
11・21	ゼレンスキーがロシアのインフラ施設破壊攻撃を「大量破壊兵器の使用にひとしい」と非難
11・23	露軍がウクライナのエネルギー関連施設に約70発のミサイル攻撃、全土で大規模停電。国内の全原発4ヵ所が外部電源喪失
11・25	プーチンが動員兵の母親と称する女性たちと官製懇談会、「ウオッカで死ぬのは無意味な死、ロシアのために死んだのは意味ある人生」とうそぶく
11・27	露兵の母親や女性団体がウクライナからの撤退を求める議会宛て書簡
12・3	ウクライナ軍一部部隊がロシア支配下のドニプロ川東岸地域に上陸
12・5	ウクライナ軍がロシア西部リャザン州のジャーギレボ軍用飛行場と南部サラトフ州のエンゲリス軍用飛行場を無人機で攻撃、死者3名、軍用機2機破壊。ウクライナ軍の最前線から700キロの露領内でのウクライナ軍の攻撃は初。6日には別の露軍飛行場を攻撃、燃料貯蔵施設が炎上
12・21	ゼレンスキーが米議会で演説。パトリオットなどさらなる軍事支援を要請

では野党・共和党が過半数を獲得

・米CIA長官と露対外情報庁長官がトルコで会談、停戦協議をめぐってさぐりあい（11・14）。CIA長官はゼレンスキーに報告

・G20サミット（11・15～）、プーチンは欠席。首脳宣言で「ウクライナでの戦争を強く非難」と明記。露に配慮して「異なる評価もあった」と注釈（11・16）

・仏大統領マクロンが露とウクライナの停戦協議を提唱（11・17）

・米NSC調整官カービーが「米はウクライナに停戦をよびかけない」と記者会見（11・18）

・CSTO首脳会議、プーチンが出席。ロシア以外の加盟5ヵ国からウクライナ侵攻の継続に批判的な意見（11・23）

・EUが露産原油の輸入価格の上限を60ドルに抑える追加制裁措置を決定、G7・豪が支持（12・2）。ロシアは上限を設定した国への露産原油の販売禁止で対抗（12・4）

・CIS（独立国家共同体）が非公式首脳会議、プーチンが各国首脳に指輪を配る（12・26～27）

「神戸事件」の全記録廃棄＝権力犯罪の隠蔽弾劾！

一九九七年に発生した小学生惨殺事件の加害者として十四歳のＡ少年が逮捕され、少年審判によって医療少年院送りとなった「神戸事件」、その事件記録のすべてが神戸家庭裁判所において廃棄されていたことが、二〇二二年十月二十日に報じられた。この「神戸事件」全記録の廃棄こそは、Ａ少年を児童惨殺の犯人に仕立てあげた国家権力の犯罪を示す物証を完全に闇に葬ることを狙ったものにほかならない。われわれは「神戸事件」全記録の廃棄による権力犯罪の証拠隠滅を、満腔の怒りをこめて弾劾する。

神戸家裁において廃棄されたとされるのは、神戸家裁の裁判官・井垣康弘による処分決定書をはじめ、兵庫県警と神戸地方検察庁が作成した供述調書や実況見分調書、そしてＡ少年の精神状態を調べた精神鑑定書や家裁調査官による成育歴の報告書などである。これらの内容は少年法を口実にして非公開とされ、被害者の遺族ですら閲覧できなかったものであった。それらがすべて廃棄されていたのである。

廃棄された記録こそは、権力犯罪の動かぬ物証の数々であった。まずもってＡ少年の供述調書じたいが、彼の「自供」が物的証拠や住民の目撃証言そして警察権力の実況見分ともつじつまが合わない・警察官や検事の誘導尋問によってでっちあげられたことを示す、決定的証拠にほかならない。そして裁判官・井垣の処分決定書は、彼が事実調べをまったくおこなわず物証もなく、A少年の「自供」だけを証拠にして処分を決定したことを明白に示しているのである。

ひとつだけ具体例をあげよう。A少年の「自供」によれば、彼は九七年五月二十四日の午後にタンク山の山中で小学生を殺害しアンテナ基地近くの窪地に遺体を隠したあと、いったん下山して金ノコギリと南京錠を万引きし、これを持って再び山に戻り、金ノコでアンテナ基地の扉の南京錠を切断して遺体を基地内に入れて床下に隠したという。翌二十五日午後に基地内のコンクリート部分で遺体の首を切断したのだという。

だが二十五日の午前中にはタンク山山頂付近で警察犬も動員して警察と多くの住民が小学生の捜索をおこなっていたのだ。こうした大がかりな捜索がおこなわれているなかでA少年が小学生の首を切断することなどありえない。実際に小学生の遺体がアンテナ基地内で発見されたのは、二十七日の午後だったのだ。

このようにA少年の「自供」なるものは、ことごとく現実とつじつまが合わない・検察官によって催眠術にかけられて書いたような作文でしかないのだ。これはまさしく警察権力による冤罪のでっちあげと権力犯罪の動かぬ証拠にほかならない。それゆえに国家権力内の特定の部分は、未来永劫この事件の検証を不可能にするためにこそ事件記録をすべて廃棄したのである。

この事件記録の廃棄は、〝特別保存すべき記録の管理のずさんさ〟などでは絶対にありえない。まさしく「神戸事件」の真相を知る者が、すなわち小学生を惨殺しA少年を犯人に仕立てたグループに連なる国家権力内の何者かが、最高裁の保存指示を重々承知のうえで意図的・組織的に「神戸事件」の全記録を廃棄したのである。そのうえで「神戸事件」の記録だけが廃棄されたのではないと見せかけるために、長崎や愛知などでも「特別保存」すべき事件記録を廃棄したのだ。

事件の真相と深層を暴きだしたわが闘い

われわれは事件当時、現地調査にもとづき実証的に、そしてリークされる捜査情報などを分析し現実的に推論して、この「神戸事件」が直接的には警察・検察権力の偽計によってA少年を「自白」に追いこみ犯人に仕立てあげた冤罪であり権力犯罪であることを暴露してきた。そして事件の深部においてアメリカの謀略機関がうごめいていることをも推察してきた。

当時、小学生の惨殺と十四歳の少年の逮捕は、日本社会全体を震撼させ喧噪の渦に叩きこんだ。この事件に社会の耳目が集められた背後では、米日両権力者によって、日本国憲法にも違反する「日米防衛協力のための指針(ガイドライン)」の「見直し」がおこなわれていたのだ。日米軍事同盟の飛躍的な強化を早急に成し遂げるためにこそ、アメリカ権力者の意を受けた米諜報機関CIAが日本の国家暴力装置をも操ってこの事件を引き起こしたことを、そして「危機管理体制の強化」の名のもとに暴力装置を再編強化し、もって日本型ネオ・ファシズム支配体制を強権的に強化する策動が、ネオ国家主義者＝支配階級内極反動分子によって強行されようとしていたことを、われわれは暴露し警鐘を乱打してきたのだ。

こうした事件の政治的性格や謀略性を暴露することができたのは、わが同盟と革命的左翼が、謀略的手段をも使った国家権力による組織破壊攻撃をはねかえし日本型ネオ・ファシズム支配体制の強化を打ち砕くべくたたかいぬいてきたことのゆえであった。

そして見よ！　「神戸事件」の謀略性や権力犯罪の露見を恐れる国家権力内の特定の分子によってその全記録が廃棄されていたことそれ自体が、まさにわれわれの暴露の正しさを実証しているではないか。「神戸事件」の謀略性を暴露したわが闘いは、いま燦然と輝いているのである。

当時、日共をはじめいっさいの自称「左翼」が、警察権力の情報操作と「第四の権力」たるマスコミの「神戸事件」の喧噪に踊らされ、権力の発表を鵜呑みにしていた。そのなかにあって、わが同盟と革命的左翼のみが、事件の謀略性と権力犯罪を断固として暴きだしてきたのである。そしてこの闘いは、良心的な弁護士や言論人たちをも揺りうごかし、闘いの社会的拡がりをつくりだしてきたのだ。

当時、国家権力の情報操作の濁流に流されていった日共や自称「左翼」どもは、いまや完全に変質し・死に絶えている。そのなかでわが同盟と革命的左翼のみが、唯一の左翼として日本階級闘争を牽引してたたかいぬいているのである。ウクライナ反戦、改憲・大軍拡阻止の闘いを断固として組織しているのがわが革命的・戦闘的な労働者・学生である。われわれは、職場・学園において、不断に革命的警戒心をとぎすまし、あらゆる組織破壊攻撃を粉砕しながら、闘いを断固として前進させようではないか。

＜参考文献＞
現代社会問題研究会編『神戸事件の謎「酒鬼薔薇聖斗」とは？』ＫＫ書房発売

反革命＝北井一味を粉砕せよ！

第七―八回　狂気と妄想の〝黒田批判〟
――『挫折の深層』の反革命性

Ⅰ　反革命＝権力の走狗への転落の紋章

国家権力への通敵行為を許さない！

スパイ糸色某に誘《いざ》なわれ導かれ、あげくの果てに精神的に一体化しつつ組織暴露をくりかえしてきた北井信弘は、二〇二二年四月に「松代秀樹」の名前で『松崎明と黒田寛一　その挫折の深層』と題する反革命的な雑文集を出版した。

ウソと妄想で塗りかためたこの暴露本の出版こそ

は、北井信弘とその一味が、――権力のスパイ＝糸色某に操られてわが革マル派にたいする愚劣なデマを垂れ流してきたこととあいまって――わが革命党の破壊を企む国家権力の走狗に転落したことの決定的な紋章にほかならない。

スパイ＝糸色は、この北井本が出版されるや、〝待ってました〟とばかりに次のようなコメントを寄せた。――『われわれはサナダムシである』とはR派の組織戦術を端的に示した言葉であろうが、……宿主たる既成労働運動の『左翼的』部分が死滅してしまえば、寄生虫たるサナダムシの存在場所もまた消滅する」。「本書は、D型労働運動の実現とその壊滅に軸を当てながら、先の課題を今日的に考えて行く上での必読書と考える」（二〇二二年五月十一日）、と。このようなことを嬉々として書く輩が権力筋のゴロツキであることは、誰の目にも明らかではないか。だが北井は、この汚《けが》らわしい「推薦文」をさっそく自分のブログでありがたそうに紹介し、〝嬉しい・嬉しい〟と子供のようにはしゃいでいるのだ。

すでに二〇一九年には、「左翼ウォッチャー」を装った連中がたむろする公安筋のサイトに「近々、S出版社（北井の私設出版＝「創造ブックス」のこと）から元革マル幹部の暴露本が出版される！　黒田尊師の生身の姿！　同盟内理論闘争が惹起したこと！　動労松崎の『転向』の真相！　これらが白昼の下にさらされる！」という書きこみがなされていた。この事実からしても、この「松代」＝北井本の出版が、本質的には国家権力のプロモートによるものであることは歴然としている。

すでに鬼籍に入り、わが革マル派組織とは久しく距離をおいてきたとはいえ、松崎明氏は、日本列島をゆるがしたかつての動力車労組の運動を人格的に代表する人物であり、支配階級・国家権力者にとって恐怖と憎悪の対象となってきた労働運動指導者である（労働運動評論家の斎藤一郎は、松崎氏のことを「日本のレーニン」と評していたほどだ）。

この松崎氏が同盟員であった時代の党内における論争問題を、第三次分裂直後の黒田議長の講述録など非公開文書を含めて敵階級や公安警察に提供した北井の行為は、それじたいで万死に値する！　それらを権力者の前にさらけだすことは、わが革命党の破壊を虎視眈々と狙っている敵権力を利する通敵＝利敵行為であり、松崎氏の精神を受け継いで日本労働運動の戦闘的再生のために奮闘している良心的・戦闘的労働者たちすべてに敵対する反階級的な犯罪にほかならない。

わが同盟中央指導部にたいするケチな怨念をはらし、脱落者としての惨めな己を少しでも〝大物〟に見せるために、ただそのためにのみ、このような反革命的犯罪行為に踏みだした北井信弘および椿原清孝、そしてこの二人に追随する者たちにたいして、わが同盟は革命党としての矜持にかけて、必ずやその犯罪にふさわしい報いを与えるであろう。

わが創始者への身の程知らずの罵倒をやめよ！

読めば読むほど怒りがふつふつと沸きたってくる。わが反スターリン主義運動からの脱落者である北井が、わが運動の創始者にたいして、これでもか、これでもかとばかりに悪罵を投げつけている。

あろうことかこの男は、同志黒田が「独自の方針をもって革命的潮流として登場する」かたちで労働運動を推進せよ、と提唱してきたなどとでっちあげる（北井本九五頁ほか――以下断りなきは本書よりの引用）。つまり〝革命的労働運動主義の提唱者〟であると描きだす。二度、三度、いや五度も六度もこのようなことを、狂気のように書き殴っている。

北井よ。おまえは同志黒田を、「第三の潮流としての登場」を唱えたブクロ官僚と一緒にするのか！　ならば、同志黒田を先頭にした先輩同志たちは、なんのために第三次分裂をかちとったのか、答えてみよ！

そもそも北井よ。おまえはエラそうに同志黒田に向かって「革命的労働運動主義」などという悪罵を投げつけているが、そのような偏向を暴きだし・その克服の途をしめしてくれたのは、いったい誰なんだ！　そういうあたりまえのことさえ忘れて「師」を罵倒しているおまえのような輩を「人間の屑」と言うのだ。

　また北井は、同志黒田が、労組幹部として労働組合運動の組織化に奮闘していた松崎氏とは対立するばかりであった、などと描きあげる。黒田は「松崎は何をやっているのだ！　と頭にきてしまった」、「松崎のように、労働運動の場面での現実感覚にもとづいて自分の意見をバンバンぶつけてくるメンバーと……論議するのは、黒田は苦手だった」、と。

　あいた口がふさがらぬ。噴飯ものとはこういう言辞のことだ。松崎氏に批判されてもまともに答えもせず、いつもビクビクして逃げまわっていたのはどこのどいつだ。松崎氏と論議するのが「苦手だった」のは、北井よ、おまえ自身のことではないか！

　あげくの果てにこの男は、松崎氏にたいして、「黒田の理論をもってしては……革命的労働運動主義になってしまう、というように自分が考えるばあいには〔北井が勝手に「考え」ているだけだ！〕、黒田の理論にはどこか欠陥があるのではないか、それはどこか、というように考察していくことが必要なのである」（一五一～一五二頁）などと説教をはじめる。

　どのツラさげて、こんなエラそうな口を利いているのだ。裸の子供が、頭の上に木の葉をのせて、王様ごっこをしているサマが目にうかぶ。ホンマにアホとちゃうか！

　同志たちの心奥を想像するだにできない理論バカに言っても無駄だということは重々承知で、あえて言っておく。松崎氏は、同志黒田を心の底から尊敬していた。いや、心酔していたというべきか。「目の見えない人がなんでも一番よく見えている」と。また、同志黒田は心の底から松崎氏を信頼していた。「彼はつねに大変なときに助けてくれた」と。二人の相互信頼の深さ、強さは、私には想像のおよばないところだ。二人をよく知る人は言う。二人の関係は文字どおり〈以心伝心〉の関係。しばらく会っていない時でも心はいつも通じあっていた、と。

　同志黒田に聞くに堪えない悪罵を投げつけ、松崎氏にたいしては己を知らぬ尊大な説教をおこなっている北井よ。人の気持ちなどからきし理解できないおまえが口から泡を飛ばして喚けば喚くほどに、自分のウルトラ合理主義と理論バカぶりを、その人格未形成の異常人間ぶりを、さらけだすだけだということがわからないのか。

こんな一から十までウソだらけの暴露本を、「黒田寛一と松崎明に師事した著者が二人の無念の思いをつかみとる！」（北井本の帯）などと喧伝するのは、二重三重に許しがたい！　日本反スターリン主義運動の創始者と・かけがえのない先達をこれほどまでに冒瀆した書物を世に出したおまえを、私は絶対に許さない！

自己の犯罪の開き直りのための歴史の捏造

北井の雑文集を最後まで読めば、この男を突き動かしている動機は手にとるようにわかる。

北井が同志黒田から批判されてきた過去の組織指導上の諸問題——「異常な個別オルグ主義」（二〇〇〇年代初頭）や「資本との対決主義」への陥没（一九九二〜三年）、そして「学習会主義」（一九八二〜四年）などのすべてをことごとく「正当な追求であった」と強弁して歴史に残したい、という邪悪な意図がそれである。

同志黒田への逆恨みを剥きだしにした次のようなタワ言を見よ！

「組合のない職場においてわがメンバーが一労働者としてたたかうというばあいにも、……出発点におけるこの個別の論議の成否がことを決するのである。このようなことにかんする私の指導をとらえて、黒田は私を『個別オルグ主義』、『シコシコ型の裏側主義の極限的形態』、『人間的資質の欠損の露呈』と判断したのであった。常任メンバーたちは、私へのこの批判に追従したのである。『反幹部闘争』の方式を原型として思惟しているかぎり、私が解明しようとしていることがらを理解することもつかみとることもできないのである。」（一九九〜二〇〇頁）

何をほざくか！　おまえの「異常な個別オルグ主義」（〝頭のいい子をグルーピングして理論を注入しろ〟というもの）にもとづく〝組織指導〟によって、いったい何人の労働者同志が労働運動場面で後退を強いられ、学生の仲間たちが苦しんだのか、何人の仲間たちが深い傷を負ったか、少しは胸に手を当てて想起して見ろ！　そんなことなどどこ吹く風で、自分の〝組織指導〟を全面的に開き直り、傲然と正当化しているのが、この男なのだ。

　このような邪悪な意図にもとづいて北井は、同志黒田を、左翼的な方針で労組幹部を下から突きあげる「『反幹部闘争』の方式」を・どこでもかしこでも現場の労働者同志に押しつける〝官僚〟ででもあるかのようにでっちあげるのだ。まったくもって許しがたい！

　それだけではない。卑劣なこの男は、自分を〝被害者〟としておしだすために、偉大な先人をも同類の〝被害者〟に仕立てあげる。そのために北井は、一九六二年の動労12・14運転保安闘争――ブクロ官僚・野島三郎が労働者同志に〝裸踊り〟を強要して松崎氏らに粉砕されたあの闘争だ！――をめぐって、同志黒田に向かって次のような驚くべき言辞を吐くのだ。

　「黒田は、われわれ（わが同盟）自身が、彼我の諸力関係の認識にもとづいて・左派がにぎる動労本部としてはストライキを倒すべきであると判断することそのもの、および、わがメンバー〔松崎氏〕が本部の役員としてストライキの中止の指令を発することを感性的に嫌ったのではないか、という気が、私にはどうしてもするのである。黒田には、彼の感性には、そういう純粋プロレタリア性をもとめるようなものがあったのではないか、という思いを、私はどうしてももつのである。これでは、わが同盟員は労働組合の指導者としてはやっていけないのである。これでは、同時に労働組合の指導者であるところのわが同盟員の気持ちと苦しみをつかみえないということになってしまうのである。黒田は松崎の内面にはいりこみえない」のである（一三四頁、傍点は引用者、以下同）、と！

　北井よ、自分の言っていることの意味がわかっているのか。おまえは同志黒田とブクロ官僚・野島とが〝同類〟だと断じているのだ。もういちど言う。いったい革共同第三次分裂は何だったのだ!?

　要するにおまえは、松崎氏も自分＝北井もひとしく〝黒田の左翼主義・純プロ主義・革命的労働運動主義の犠牲者〟だと言いたくて、こんなデタラメな本を書いたのだ。なんたる破廉恥！

「個別オルグ主義」と烙印された自分の指導をば〝職場での苦労がわからない黒田〟にたいする〝正当な反抗〟としておしだしたい。——そのような邪《よこしま》な魂胆にもとづいて、わが革マル派の党史についての児戯にもひとしい〝逆さ解釈〟をやってのけ、同志黒田とわが同盟指導部を見境なく罵倒して恥じないのが、「松代秀樹」こと北井信弘なのだ。

自己絶対化のとりことなって気が狂った北井に、「おまえは師への恩を忘れたのか？」などと言ってみてもはじまらぬ。人格が完全に崩壊し、倫理性も社会性もゼロであるがゆえに権力の手先へと転落したこの徒輩には、ただ鉄槌あるのみである。

宮崎本からの我田引水的切り抜き

北井が右の雑文集を書き殴るにあたって全面的に依拠したのは、「公安調査庁のスパイ」を自認する宮崎学が編集した『松崎明秘録』なる本である。北井は、スパイ宮崎がまさに〝公安的関心〟からおこなっているインタビューへの松崎氏の応答から片言隻句を引っこぬき、それを我田引水で解釈して妄想的物語をでっちあげているのだ。

この本の元になったインタビューは、二〇〇八年二月におこなわれた。

松崎氏がＪＲ東労組の顧問を最後的に退任したのは、二〇〇二年七月。それ以降、堰を切ったように東労組にたいする組合組織破壊攻撃が、国家権力によって波状的に仕掛けられた(註)。こうしたＪＲ東労組にたいする破壊策動が展開されるただなかで、宮崎から松崎氏にインタビューの申し入れがあった。松崎氏は、これを受け入れた。「私は日本労働運動を防衛するためには誰とでも会います」と松崎氏は語っていたという。この氏の言葉に明らかなように、彼は、この宮崎のインタビューそれじたいが一連の組合破壊攻撃の一環であるととらえ、それを逆手にとってやろう、と考えていたにちがいないのだ。

松崎氏は、宮崎の政治的意図を重々承知のうえで、それを受けて立った。そして、あの宮崎を手の平にのせ、時にはケムにまいた。彼は、スパイ宮崎に変幻自在に対応しながら、みずからのプロレタリア・ヒューマニズムの思想を縦横無尽に語っているではないか。北井よ。字面の解釈しかできないおまえには、こんなことはまったくわからないだろう。

　この本を編集した宮崎、その背後にいる公安警察や政治エリートのどす黒い階級的・政治的意図などいっさいお構いなしに、またスパイを自認する宮崎に相対し応答している松崎氏の心中や問題意識などとはまったく無関係に、みずからがでっちあげた〝黒田の革命的労働運動主義的欠陥・それを超えている私北井〟というおぞましい妄想物語を無理やり投射して松崎氏の発言を切り刻み、異様なまでに興奮して勝手なオダをあげているのが、この大バカ者なのだ。宮崎本からのこうした我田引水的な〝切り抜き〟は、今は亡き松崎明氏を限りなく貶《おとし》めるものにほかならない。

註　①ＪＲ東浦和電車区での「暴力事件」のでっちあげによる組合員逮捕（二〇〇二年十一月）。②それと軌を一にした一握りの東労組中執メンバーによる組合分裂策動の開始（同）。③国会での政府・警察当局による「ＪＲ東労組に革マル派が浸透」という再三の答弁（同十一～十二月）。④二〇〇四年初頭に元警察庁警備局長・内閣調査室長の杉田和博がＪＲ東日本会社顧問に就任。国家権力中枢の意思決定でＪＲ東会社に入った、と推断できる（杉田はその後、第二次安倍内閣、菅内閣で官房副長官に就任）。⑤ＪＲ総連および東労組の事務所など十六ヵ所にたいする警視庁の家宅捜索（二〇〇五年十二月）。⑥『週刊現代』誌上での「テロリストに乗っ取られたＪＲ東日本の真実」という暴露記事の半年間におよぶ連載（二〇〇六年七月から〇七年一月）。

Ⅱ　〝革命的労働運動主義者＝黒田〟という妄言

北井は、動力車労組がとりくんだ一九六五年９・20闘争、そのスローガンをめぐる論争に荒唐無稽な解釈を加え、同志黒田を〝革命的労働運動主義の提唱者〟として描きだす。これほどまでに悪らつ極まる許しがたい犯罪があるだろうか！

一九六五年当時の国鉄戦線担当常任の本庄武（9・20反合闘争にかんする論文の筆者）、この本庄と同志黒田が、松崎氏の提起したスローガン（右翼的組合員が多数存在する組合の現状にふまえた「助士廃止反対、二人乗務とせよ」などのそれ）の意義を全否定し、もっぱら「一人乗務反対！　ロング・ラン反対！」というスローガンだけを押しこむことで意志一致していた、などと北井は描く。いや、本庄の主張はもともと黒田が注入したものなのだ、などとぬかすのだ。北井はうそぶく。――

『一人乗務反対！　ロング・ラン反対！』というスローガンは、――わが同盟がわが同盟として提起するわが同盟のスローガンであると同時に、――わが同盟員が組合員あるいは組合役員としてうちだすべき組合の方針として、黒田が本庄武と論議して解明したものである、ということができる〔A〕。……国鉄委員会のメンバーたちやフラクション・メンバーたちが『このスローガンにしぼれ』というように松崎を批判した〔B〕、ということから推論するならば、このように断定してよい〔!?〕、と私は考える」（八八頁）、と。

この文章のどこに「推論」があるというのだ。〔A〕という「断定」の理由は〔B〕だけである。〔B〕からなぜ〝黒田＝本庄〟という飛躍した結論が出てくるのだ。こういうのを邪推というのだ。これこそは、おまえの頭が、壊れたデジタル機器のごとき頭に変貌してしまっていることの証左なのだ。

しかも、「一人乗務反対！　ロング・ラン反対！」というスローガンは、「わが同盟がわが同盟として提起するスローガン」（今日的にいえば「E2」）である。これと「わが同盟員が組合員あるいは組合役員としてうちだすべき組合の方針」（同じく「E2u」）とを区別もしないで、同志黒田が――まさに第三次分裂のただなかで運動＝組織論を開拓した同志黒田そのひとが――松崎氏に押しこんだなどということはあろうはずもないではないか。こんなタワ言は、北井自身の組織現実論・あるいは運動＝組織論にかんする驚くべき無知を自己暴露するものでしかないのだ。

頭のおかしい北井よ。そもそも『日本の反スターリン主義運動2』において、同志黒田が次のように書いていることをおまえはどう読んでいるのだ。

「『一人乗務反対！　ロング・ラン反対！』のスローガンをもってたたかわれたこの合理化反対闘争において、しかし、われわれは同時に、部分的に左翼主義的偏向をおかしたのであった。一言でいえば、われわれの組織戦術の無媒介的な貫徹を主張したり、あるいは民同右派が民同左派に攻撃をかけているまさにその時に動力車労組内の左右の日和見主義を一挙に同時的に、直接的に批判し暴露すべきだ、と主張した戦闘的活動家（フラクション・メンバー）たちにゆすぶられたりする傾向が一部に発生したということである。」（『日本の反スターリン主義運動2』こぶし書房刊　一一三〜一一四頁）

ここで同志黒田は、この合理化反対闘争においてうみだされた「左翼主義的偏向」を論じている。ところが北井は、この文章の最初の一行半だけに着目し、同志黒田が「合理化反対闘争」の形容句として「『一人乗務反対！　ロング・ラン反対！』のスローガンをもってたたかわれた」と書いていることだけをもって、まるで鬼の首でもとったかのように異常に興奮し、〝黒田は本庄とまったく同じだ！〟などと騒いでいるのだ。小学生以下の国語力ではないか！

さらにおまえは、同志黒田が次のように言っていることをどう読んでいるのだ?!

「このスローガン論議は本質的には不毛なものであった。なぜなら、『一人乗務反対！　ロング・ラン反対！』だけをかかげるのがわれわれの方針であって、これに『助士廃止反対、二人乗務とせよ』とか、『検修合理化反対』や『事務近代化反対』その他、というような未解決の諸闘争課題にかんするスローガンをかかげることは、大衆運動主義的な方針提起であり、その立場は危機あおりたてだ、というような論議がなされたにすぎなかったのだからである。運動＝組織論との関係における方針提起論のほりさげというかたちでの追求さえもが、この場合ま

ったくなされなかったのである。」(同右一九九〜二〇〇頁)

松崎氏は組合組織（支部）全体を見わたしながら、「助士廃止反対、二人乗務とせよ」というスローガンを、さらに事務部門や検修部門での組合的課題の解決をめざす指針をうちだした。これにたいして、本庄とこれに従った一部の青年部の活動家たちが「一人乗務反対・ロングラン反対だけをかかげよ」と主張して、松崎氏の提起する指針を否定したのである。

同志黒田は、このような論争は「本質的には不毛」であったと断じ、それを突破するためには「運動＝組織論との関係における方針提起論のほりさげ」がなされなければならない、と提起している。つまり、組合運動の場にふまえて、(『解放』紙上などで展開されている) 党の指針を組合役員として提起する方針として具体化する、という松崎氏の問題意識、これを共有し理論的にほりさげるべきだ、と提起しているのだ。

同志黒田は、このようにつねに松崎氏を先頭とする労働者同志たちの日々の苦闘を共有し、それを不断に理論化してきたのである。

じっさい松崎氏自身が、宮崎のインタビューに答えて次のように語っている。

「黒田さんの運動理論、反スターリニズムの大衆運動の推進のしかたに関わるもの、あるいは『組織論序説』のような大衆運動と組織建設の関係に関わる一連のもの、そういうものの展開は、多分に私の実践を材料にして、基礎づけ理論づけたという面がかなりあるのではないかと私は思っているんですよ。」(『秘録』一四七〜一四八頁)

かく松崎氏が述懐するように、わが同盟の組織現実論は、同志黒田と松崎氏との〝対話と協働〟によって創造されてきたのである。

北井は、同志黒田によって提示された組織現実論の成りたち・論理的骨組についての無知・無関心ぶりをさらけだしながらこれを結果解釈しているだけなのだ。北井よ、おまえのような輩が、この理論の産みの苦しみの過程での先輩たちの真摯な論争に、わかったような顔をして〝評注〟することほど身の程知らずのことはない。いわんや「異常な個別オルグ主義」や「学習会主義」という組織現実論を踏みにじるでっかい誤謬を犯しながら、なにひとつ反省もしないおまえが、組織現実論の血の滲むような形成過程にエラそうに口を挟む資格などまったくないのだ。

そもそも、このとき本庄武は学生戦線から移行してまもない二十歳台前半、労働運動にかんしてはまったく未経験のまま担当常任になった。分裂後まもないこの一九六五年の時点で、同志黒田は革マル派の各級指導機関建設を推し進めつつ、ほとんどゼロから労働戦線担当常任をつくりだそうとしていた。そのさい労働戦線における現実の運動＝組織づくりおよび組織建設については、同志黒田は、「同志倉川篤」としての松崎氏との文字どおりの〝協働〟で進めていたのである。

この同志黒田が、「革命的労働運動主義」の立場から「本庄武を使って、松崎にたいするカチカチ山スタイルの思想闘争をやっていた」（一一九頁）などというのは、古参党員の誰もが一笑に付す荒唐無稽な妄言・でっちあげでしかないのである。北井よ、テメエの没理論・没思想・没思考をさらけだすだけの大ウソをほざくな！

Ⅲ　9・20スローガン論争とは何か？

北井によるこの悪らつな歴史の偽造を完膚なきまでに粉砕するためにも、そもそも一九六五年の動力車反合理化闘争における「スローガン論争」とはいかなる論争であったのか、ということを簡単に述べておこう。

⑴　担当常任＝本庄によって理論的に武装された青年部の活動家たちは、文字どおり「一人乗務反対！　ロング・ラン反対！」のスローガンだけをかかげてつっ走った。彼らは、諸々の職種にかかわる組合的諸課題についてはまったく無関心であり、むしろそれらをとりあげるべきではない、とするところの左翼主義的偏向を犯した。これには理論的根拠があった。『解放』第五七号（一九六五年十一月十五日

付)の本庄論文では、「支部青年部をフラク的に機能させる」ということがくりかえし強調されている。本庄は、現実場面で、青年部活動家を左翼的方針で固めて支部執行部を突きあげろ、とハッパをかけたのである。

当時は、運動＝組織論の骨組がうち固められた段階(『解放』第四、五、六号の山本勝彦論文)の直後であり、労・学両戦線でその理論の主体化と実践への適用にかんして、指導的メンバーも活動家もみな悪戦苦闘していた。

北井は〝黒田＝本庄〟などと描きだしているのだが、同志黒田は『解放』第四二号(一九六五年二月十五日付)の本庄論文が「左翼的展開のためのフラクション」という論述になっていることを、危機感をもって批判していた(テープ「フラクション創造にかんする理論的諸問題」一九六五年七月――『組織現実論の開拓』第四巻 KK書房刊所収、以下『開拓』と略記)。また『解放』第五七号の本庄論文では「『同盟員としての組合員』という言葉が一度も出てこない」(同右三二五頁、一九六六年二月)と指摘している。つまり、同盟員が組合員として・あるいは組合役員としていかに活動を展開するかの解明がない、と強い危機感をもって問題を切開している。

このように当時から同志黒田は、二つの本庄論文の限界や過ちを批判していたのである。『組織現実論の開拓』第四巻に収められている当時のテープ(たとえば「労働者学習会の討論から」)などを見れば、同志黒田が本庄論文の限界を丁寧に剔りだし、その筆者の変革にどれほど苦労していたかがわかるはずである。

北井はそうした事実を知らないのではない。知っていて同志黒田を貶めるために〝黒田＝本庄〟などという虚構をあえて捏造し喧伝しているのだ。

⑵ 9・20闘争において松崎氏は、次のようなスローガンを組合場面でうちだした。「二人乗務獲得！ 助士廃止反対！ 検修合理化反対！ 事務近代化反対！」というものだ。これにたいして青年部の一部活動家たちは、松崎氏を〝民同と同じ〟〝シャミ(社民)転だ〟と突きあげた。

右派民同が一定の力をもち、右翼的組合員が少なからず存在する、こういう組合基盤にふまえて、組合員の広汎な組織化、乗務員以外の事務部門や検修部門の組合基盤の強化をめざす、という強烈な問題意識を松崎氏はもっていた。

一人乗務への転換は常磐線で先行的に攻撃が加えられていたが、まだ機関助士という職階の廃止が直接なされていたわけではなかった。高崎線区も東北線区も含めて、この攻撃が近い将来うちおろされるだろうという見とおしにたって、松崎氏は「助士廃止反対」の指針をうちだした。「オレ達には関係ない」とかまえている組合員たちをめざめさせるスローガンをうちだしたのだ。事務部門や検修部門の組合的課題をも同時にとりあげ、組合組織の全体としての強化をめざしたのが当時の松崎氏だった、といえる。

地本執行部と論議し突きあげて支部の方針を地本に認めさせたのであるから、支部方針が地本の方針と基本骨格で同じであるのはあたりまえであった。

今日からとらえかえせば、同盟（員）が同盟（員）としてうちだした指針を、組合場面において同盟員が組合役員として具体化して提起するということ、このことを松崎氏は、組合役員としてつみあげてきたみずからの実践的経験にふまえて実質的に実行していたといえる。ところが視野狭窄な担当常任と一部青年部活動家たちは、残念ながらまったくもってその意義をつかめなかった。いやむしろ、松崎氏の実践的努力・苦闘を〝ジャミ転〟〝民同と同じ〟と否定してしまったのである。

⑶ 当時（一九六五～六六年）の同志黒田が、松崎氏の問題意識を全面的にくみとり理論化しようと必死になっていたことは明らかだ。先述した本庄論文（『解放』第五七号）にたいして、「同盟員としての組合員」という言葉が一度も出てこない、と批判しているだけではない。黒田は、「われわれとしては学生運動論の理論的展開にかなり努力してきたけども、労働運動論あるいは労働組合論……の追求が弱い」（『開拓』第四巻三二四頁）と、労働組合運動論についての追求の立ち遅れを指摘しているのである。またすでに述べたように、先の『反スタ2』の展開（「本質的には不毛」云々）において黒田は、「……運

動＝組織論との関係における方針提起論のほりさげというかたちでの追求さえもが、この場合まったくなされなかった」と言っている。

特定の主体が、みずからのおいてある場に規定されて自己の規定性を転換し活動形態を転換する。この主体の規定性ならびに活動形態の転換にふまえて、組合運動場面においてわが同盟員は組合（役）員として方針を提起するのであるが、この方針提起の形式に規定されて提起する方針の内容も具体的に緻密化される、という論理――これをほりさげようとする問題意識が、この文章では歴然としている。

一九七〇年代に入ってもわれわれは労働組合運動の組織化をめぐってさまざまな論議を重ねた。その論議の一端を、同志黒田は「七二年前半期において組織内討論に付された理論上の諸問題について」というテーマでまとめた（「同志西條武夫へ」）。

「……論議された事柄は、……労働運動を推進していく場合にわが同盟員たちが陥った偏向、なかんずく革命的労働運動主義的な偏向と戦闘的労働組合主義あるいは左翼組合主義的な偏向、さらに『フラクションとしての労働運動』、これらについて」である。「……そして、わが同盟としての方針E_2を組合のレベルに具体化する場合には、E_2'というように表現できる。これは組合の実体的諸関係にふんまえつつ、かつ組合員大衆の意識にふんまえつつ、方針を具体的に提起する。だから方針提起のしかた、形式を具体化すると同時に、提起される内容もまた若干変ってくるのである。」（『開拓』第五巻二八三〜二八五頁）

松崎氏の努力・苦闘は、その後の各産別での運動への組織的とりくみと・それをめぐる組織的論議に生かされた。そして同志黒田とわれわれはこれらの論議を理論化しつつ、全体として労働運動論の構築にむけて、組織的な前進をかちとってきた。

松崎―黒田の精神的・思想的交流は、組織的論議にうらづけられて、労働運動論のほりさげへと結実していく。そして各戦線の労働者同志たちは、それを適用して労働運動の左翼的推進のために邁進するのである。

反黒田の妄念のとりこになっている北井にとって

は、極めてもったいないといえる論述を少々展開した。それは、この男の無残な崩壊ぶりを確認するためだ。人格未形成の理論人間たるこの男は、わが労働者同志たちの血の滲むような苦闘を基礎としての・組織現実論の生き生きとした創造過程についてはまったく無理解、いや無知であり無恥なのである。それればかりか、同志黒田への逆恨みが昂じて、この理論とその創造過程にたいして、聞くに堪えない政治主義的悪罵を投げつけているのだ。

〝偉大な私〟の妄念を護持するために、みずからの犯罪をすべて開き直り、あまつさえデタラメきわまりないウソ八百を書き連ねるこういう腐敗分子には、何よりも革命的労働者の憤怒の鉄槌のみがふさわしい。

Ⅳ　〈黒田⟷松崎＝北井〉という狂気の図式の捏造

一九六五年の「9・20スローガン論争」について、同志黒田は、『日本の反スターリン主義運動２』において、これを組織建設の観点からとらえかえしている。

「闘争スローガンをめぐる不毛な論議」と同時に、それとからみあいながら、発生した内部対立に「政治技術主義的に対応するというゆがみ」が部分的にうみだされた。

「しかし、このような事態は、もちろん大衆運動の場面での組織活動の諸形態をめぐる理論闘争を通じて、わが同盟組織の全体としての質的強化をかちとるための跳躍台へと転化されたのである。すなわち、わが同盟・革マル派結成いご追求されてきた運動＝組織論や大衆闘争論を再把握するための理論闘争をテコとしながらスローガン論議を整理し、『フラクションとしての労働運動』路線の誤謬を理論的につきだし、これらを通じて組織内闘争は前進させられたのである。」（『反スタ２』Ⅲ・Ⅱ「組織建設路線にかんする問題点」二〇一～二〇二頁）

ここで述べられている「〔内部対立に〕政治技術主義的に対応するというゆがみ」とは、先のスローガン論争において、担当常任の本庄と彼の指導に従った青年部の活動家たちが松崎氏を「民同と同じ、地本と同じだ」とつきあげてしまった事態をさす。これを同志黒田は、『反スタ2』のこの箇所で、「たとえエピソード的なものでしかなかったとしても」（同右二〇五頁）、「同盟内闘争における政治技術主義」のひとつのあらわれとしての『カチカチ山』ないし『つきあげ』型組織づくり」（同右二〇六頁）と規定し、組織建設論的に切開している。

ところが北井は、同志黒田が「カチカチ山」と呼んでいるこの事態について、松崎氏が次のように語っている言葉に飛びつく。

「六六年の『カチカチ山』事件ですね。わが家に大挙して押しかけて来るわけですよ。」（『秘録』一五八頁）

スパイ宮崎が〝本当に革マル派から離れたのか？いつ離れたのか？〟としつこく質問してくるのにたいして、松崎氏は、革マル派とは距離を置いていることを〝納得〟させるために、わざわざ革マル派結成直後の「エピソード」をもちだしたのである。

同志黒田と「同志倉川」としての松崎氏とは、第一次分裂も第二次分裂も、そして第三次分裂も、文字どおり二人三脚でたたかった。この二人が一九六六年に対立していた、などということがありえないことくらい、わかりそうなものだ。

しかも第三次分裂後の当時、同志黒田は、学生から常任指導部をつくるために全力を傾注していた。二十四歳の本庄は、早稲田大のマル学同から労働戦線担当常任になったばかりで、労働運動の経験はゼロであった。この本庄は、社学同出身であるがゆえにブント的戦術左翼主義の残滓を引きずっていた。なによりも大先輩である松崎氏にたいする尊敬心そのものが欠けていた。このような本庄を変革せんとして、同志黒田は思想闘争をおこなっていたのである。

同志黒田が、この本庄と一緒になって「倉川」と対立したなどということが、まったくの作り話であることは明々白々なのだ。

ところが北井は、この松崎氏の応答を見て、次のように驚く。

「私は『カチカチ山』とはこのような規定〔本庄のつきあげ型思想闘争スタイルにかんするそれ〕であると把握していたので、松崎が自分の家に大勢で押しかけられたことを『カチカチ山』と呼んでいること、そしてそのことからすると、彼は『カチカチ山』をやった主体は黒田であるというように認識していると思われることに、びっくりしたのである。」（八二頁）

なんと北井は、同志黒田と松崎氏が同じ「カチカチ山」という言葉を使っている、というただこの一事から、〝黒田が本庄を使って松崎宅に押しかけさせた〟などという妄想的物語を勝手にでっちあげるのだ。なんという単細胞！　なんというデジタル頭！

同志黒田は、この事件をどうやって知ったのか。事実はこうだ。

同志黒田は、本庄と一部の青年部活動家たちが松崎氏の自宅に押しかけたというこの事件についての一報を、森茂書記長から聞いた。同志黒田は瞬時に、「彼と論議をするのなら、なぜ一人か二人で行かないのか」と同志森を詰問した。そして直ちに打開にのりだした。

松崎氏の親友たる同世代の国労の戦闘的労働者を介して、松崎氏を自宅に招き、ことの顚末をくわしく聞いた。そしてその場で事態の全容を確認したのである。

これが事実である。

この〝押しかけ事件〟は、同志黒田と松崎氏の絆を、まさに〝刎頸《ふんけい》の友〟として一段と深めた。そして同時に、組織現実論の開拓の大きなステップとなったのである。だからこそ同志黒田は、それを「エピソード的なもの」とふりかえっているのである。いやそもそも、「カチカチ山」などという童話になぞらえてこれを呼んでいることじたい、後からふりかえればまさに微笑《ほほえ》ましいとさえいえる〝事件〟ではないか。

当時の国鉄戦線の仲間たち、そして労働戦線担当常任らは、この事態の反省をつうじて、内部理論闘争の生動的展開こそが組織建設の生命線をなすということを、あらためて確認してきたのだ。まさしく、この〝事件〟を「わが同盟組織の全体としての質的強化をかちとるための跳躍台へと転化」してきたのである。(『反スタ2』二〇二～二〇七頁、『革マル派五十年の軌跡』第二巻　KK書房刊二六六頁などを参照せよ。)

革マル派としての産声をあげたばかりの時点における、しかも組織現実論の開拓の生みの苦しみのなかで起きたこうした事態に異常反応をしめす北井こそは、人の心も感情も理解できない超のつく理論バカそのものなのだ。

きわめつけは、先の発言を「松崎明の……遺言である、と私は感じる」(八〇頁)などとぬかしていることだ。「この問題は、彼の内面において、終生、マグマのようにうずき噴出しつづけていたのだ、ということがわかる」だと！　仲間の「内面」などつゆも想像したことのないおまえが何を言うか！　自己反省ということを一度もやったことがないおまえに、いったい何が「わかる」のだ。

こんなデタラメきわまりない妄言を、北井が恥ずかしげもなく吹聴するのは一体なぜか？　北井は己れを〝黒田とたたかって排除された被害者〟としておしだしたいのである。そのために偉大な先達＝松崎氏をも〝黒田の犠牲者〟にしたてあげ、それによって〈黒田⟷松崎＝北井〉という図式をでっちあげたいのである。これこそはまさしく狂気の行きついた世界いがいのなんであるのか！

松崎氏への夜郎自大な〝説教〟

松崎氏は「カチカチ山」問題に触れたのに直続して次のように言っている。

「私は黒田理論というのにかなりイカレてましたからね。今でも『資本論』なんかを読むにあたっては、黒田寛一さんからサジェスションいただいたことは無視できない。『社会観の探求』なんかには影響を受けています。そういうものはそれとして大事にしなきゃいけないと思ってます」（『秘録』一五九頁）、と。

さらに松崎氏は、すでに述べたように、同志黒田の組織（現実）論は、「多分に私の実践を材料にして、基礎づけ理論づけたという面がかなりある」（『秘録』一四七〜一四八頁）と語っている。

松崎氏のこの発言は、いわば「たとえ組織的には距離を置いたとしても、思想的には……」というかたちで同志黒田との心の絆を表明したものである。ところがこの松崎氏の発言にたいして、北井は不遜にも次のようなことをほざく。

「〔この発言にしめされるように〕自分は実践し、黒田さんがそれを理論化する、というように松崎が思っているふしがある、と私には感じられる。それがいけない〔!?〕と私はおもうのである。そのような構え方を松崎はあらためなければならなかった、と私は考えるのである」（一五二頁）、と。

北井よ。どのツラ下げてこんなデカイ口を利くのか。まずもって己れ自身をかえりみたらどうなのだ。

おまえはかつて国鉄戦線の労働者の組織会議に何度か参加したことがあるが、そもそも発言したことがあるのか。とりわけ古参労働者の前で。いや、彼らと個別の対話をしたことがあるのか。いつも〝借りてきた猫〟のようにちんまりと緊張してかしこまって黙っていただけではないか。

ある労働者から「趣味はなんですか」と聞かれた時、おまえは頬を紅潮させて「ぼくの趣味は論文を書くことです」と答えた。質問した労働者の心は、何か対話の接点はないか、というものであったのに、この返事。かの労働者は「この人ダメ」、「ハナシにならん」とおまえにサジを投げたではないか。「人はパンと理論だけで生きるにあらず」という同志黒田の言葉を、再び三たび考えろ！

そもそも北井よ、おまえはいつの時点の松崎氏に向かって、こんな〝説教〟をしているのか？

松崎氏は一九六一年四月発行の『組織論序説』の中の「革命的労働者の組織化の論理」を思い浮かべて、先のように言っているのだ。この黒田の展開は、自分自身（二十二～三歳――一九五八～九年の頃）の実践が前提的基礎になっている、と彼は言いたいのだ。つまり当時の松崎氏の組合運動へのとりくみ、そのただなかでの自己形成の努力、そして先進的仲間との学習会づくりの奮闘。これを一九五八～六〇年頃の同志黒田が理論化したのだ、と宮崎の前でも胸を張って述べた、ということなのだ。

この時点の同志黒田は、まずもって一九五七年六月頃に〈組織戦術〉というわが組織論の基本的カテゴリーを創造した。純トロツキストの「加入戦術」が実は没入となっていることの批判を媒介にして。そして純トロの大衆運動主義、また、早産児＝左翼スターリニストでしかないブントの小ブル急進主義、これらへの理論的批判を媒介とし基礎としつつ〈前衛党組織論〉を構想し、その理論化に着手した。この同志黒田が、松崎氏の実践に学びつつまとめあげたのが、『組織論序説』の「革命的労働者の組織化の論理」なのである。

一九五八～九年の松崎氏は、同志黒田に「『党宣言』や『資本論』の学び方を教えてほしい」と願いでていた頃でもある。

今日からふりかえれば、「革命的労働者の組織化の論理」こそは、同志黒田と松崎氏の二人三脚の成果であり、いわば二人の〝対話と協働〟の生産物としてとらえかえせるものなのだ。二人は感性も思考も、まさに反スターリン主義運動の先駆者＝「探究派」として、完全に合っているのだ。デジタル検索アタマで単語主義・しかも人間的感性の欠損する北井にはまったく想像のおよばぬ世界なのだ。

この若き日の松崎氏に「自分の実践を理論化せよ」などとエラそうな説教をたれる前に、おまえ自身の「理論」なるものが、血も涙もない形式論理、自己の実践とは水と油の空理空論だということを、すこしは直視したらどうなのだ。

自己の卑しい内面を投射した「松崎の遺言」なるもののでっちあげは、松崎氏を限りなく侮辱するものだということに気づかないほどに、この男は人格が崩壊しているのだ。

V　わが同盟の労働者的本質はいかにつくりだされたか

同志黒田は、労働運動の推進をめぐってうみだされた問題を、同時に組織建設における前進の糧へと転化するために、産別委員会（当時の国鉄の産別委員会はＮＡＬ＝全線委員会と呼称されていた）のメンバーや革命的フラクションの主要なメンバーを集めて、労働者弁証法研究会（労弁研）を一九六六年二月を皮切りに五度にわたって開いた。そこでは、毎回白熱した論議と学習が重ねられ、組織的強化がめざされた。〔その核心的教訓の一端は、『組織現実論の開拓』第四巻、第五巻に収録されている。〕

労弁研では主として本庄論文（『解放』第四二号、第五七号）、岩室賃闘論文（同第四三号、第四五＝四六号）などを検討した。と同時に、それぞれのメンバーの諸組織活動を主体的かつ組織的に点検しあう論議もつみ重ねた。

問題別に整理すると、(i)「フラクションとしての労働運動」あるいは「青年部をフラクション的に機能させる」問題などの切開と克服、(ii)大衆闘争の革命闘争への連続的発展観の反省、(iii)ケルン主義の反省、(iv)労働組合運動論の模索、(v)既成の労働運動をどのようにのりこえていくべきか、その論理。

以上のように極めて重要なテーマばかりである。そしてこれらの論議は、組織現実論の開拓と豊富化、産別組織の組織的強化として結実していったのである。

そもそも同志黒田は、一九六〇年代初頭にブクロ官僚一派が革共同内に大衆運動主義をもちこみはじめたことをいち早く喝破し、同志倉川とともにその克服のためのイデオロギー的＝組織的闘いをおしすすめた。そしてさらにこの闘いを分派闘争から第三次分裂をかちとる闘いへとおしあげ、わが革マル派組織建設の土台を築いたのだ。

同志黒田はまた、この分派闘争を起点に、その後の革マル派組織建設を基礎にして、組織現実論（運動＝組織論、闘争論、同盟建設論）を開拓したのである。

マルクス、レーニン、トロツキーが開拓すべくして開拓しえなかった未踏の領域——組織的実践を実践論的に解明した、まさしく世界に冠たる理論を開拓したのが、同志黒田である。

この組織現実論の開拓は、労働者同志たちとの共苦と議論なしにはありえなかった。わが仲間たちが心ならずも犯してしまった失敗や過誤を、つまり「フラクションとしての労働運動」的傾向や、「革命的労働運動主義」的偏向をたえず理論的に切開し、その克服の方途をさししめしつつ、開拓した理論をより豊かにしてきたのが、同志黒田なのである。

反スタ運動の創始者たちへの冒瀆

機関車労組（動力車労組の前身）に加入して未だ二年目の若き松崎氏（二十一歳）は、国労新潟闘争における日共系指導部の裏切り（一九五七年七月）に対決し、この裏切りの根拠を考えた。その時、彼は前年のハンガリア労働者の武装蜂起をクレムリン官僚がタンクで圧殺した問題と統一的に思弁した。「社会主義ソ連とは一体なんだ？」と問うなかで『探究』誌に出会い、黒田との思想的交流が開始された（一九五八年）。

松崎氏はこのときのことを、後に次のように語っている。「『探究』第一号を読んだ時には本物だと思った。……現場で闘っているオレたちに一番ショックをあたえたのはこいつだ。『探究』第一号がよかったものだから、皆に見せてまわったものだ。こんなベッピン見たことない、という調子だ」（『前進』第八三号、一九六二年三月五日付、『革マル派　五十年の軌跡』第一巻三四七頁）、と。まさに歴史的・社会的意味での新しい松崎の誕生である。

翌一九五九年に松崎氏は、「我々の師の健康を！全世界のプロレタリアートを代表して」と述べつつ、マルクス主義の勉強の仕方を教えてほしい、と同志黒田に手紙をしたためた（同右三四三〜三四五頁）。

そして同志黒田と思想的・組織的交流を深めつつ、生きた実践の場面では、わが青年・松崎は動労の全国青年部づくりに奮闘した。この過程において同時に、青年部以外の組合員のなかの左翼的・先進的部分の発掘と組織化をも地道に進めた。いうまでもなく、その後の動労の屋台骨を支える実体づくりであり、組合内左翼フラクション（今日からとらえかえせば）の基盤を開拓したのだ。つくりだしたこの組織的基盤を基礎にしてとりくまれた一九六二年の運転保安闘争の組織化において、松崎氏は、ブクロ官僚の二段階戦術のもちこみを粉砕しつつ、組合の表場面において実質上のリーダーシップを発揮したのだ。

まさしく創成期の反スタ運動を、松崎氏は「副議長・倉川篤」として、黒田議長とともに最先頭で切り拓き牽引したのだ。

この松崎氏を、あろうことか〝反黒田の怨念〟に凝り固まった人物として描き、他方で同志黒田を

〝組織現実論を踏みにじる革命的労働運動主義者〟として描きあげるとは！

この狂乱ぶりは、——何度でも言おう！——〝偉大な理論家〟として歴史に名を残したいというケチな我執、それに発するところの〝オレは黒田をのりこえているのだ〟という夜郎自大な妄念にもとづく。こうした狂人的な自己絶対化と・〝正しい私〟を認めてくれない同志黒田への逆恨み——これが、北井＝「松代」のこの本をつらぬくアルファでありオメガなのである。

これこそは、仲間を信頼し・仲間と共苦し・仲間とともに学び実践することの喜びをなにひとつ感じとることも分かちあうこともできなかった孤立主義者の理論バカたる北井がたどりついた淋しくも哀れな末路なのだ。

北井信弘よ。一度はわが同盟指導部の末席にすわりながら、いまや自分の犯した過誤を傲然と開き直り、あまつさえ鬼籍に入ったわが創始者たちにあらんかぎりの悪罵を投げかけるおまえのような腐敗分子をわれわれは絶対に許さない。公安警察にそそのかされておまえたちが出版した害毒をたれ流すだけの雑文集とともに、われわれは、反革命＝国家権力の走狗と化した北井一味を、軽やかに粉砕するであろう。北井よ。反スタ主義者の怒りがどのようなものかを、思い知るがよい！

（二〇二二年十月七日）

前原茂雄

〔本誌掲載の関連論文〕

- 第一回　北井信弘を操る権力の狗＝糸色望
反革命＝北井一味を粉砕せよ！（第三二一号）
- 第二回　スパイと心中する北井一味（同）
- 第三回　われわれはスパイ集団＝北井一味を許さない！（同）
- 第四回　座談会Ⅱ　北井の組織実践の狂いと異常な精神世界（第三二二号）
- 第五回　北井・糸色と心中する椿原　白嶺　聖（同）
- 第六回　己れの犯罪に頬被りする北井を弾劾する　上田　琢郎（同）

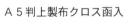

二〇二三年 新春特別企画

汝が戦ひと われらともにあり

卑劣なりロシアの戦《いくさ》
狂気なりインフラ破壊
兵も尽き砲弾も果て
動員令出せばパニック
ダム破壊戦術核を
かざせしも民は屈せず
かくていまこの厳冬に
暖を断つとや

極寒も闇もものかは
薪をくべ燭《しょく》をともして
前線と心ひとつに
戦はむ命のかぎり

万人は一人のために
一人また万人のため
あひ固く結べ必ず
勝利手にせむ

この戦むごきあまりに
停戦を説く者あまた
許せとや領土強奪
すさまじきこの残虐を
侵略も見て見ぬふりの
左翼みな死すと断ぜよ
スターリン主義と対決
せざりしゆゑぞ

ウクライナ勝利は郷《くに》の
ためなれどそれのみならず
ロシアもし勝たばいよいよ
この世紀奈落に堕ちむ

いま築け左翼戦線
革命の世紀のために
はらからよ汝《な》が戦ひと
われらともにあり

反戦に燃えたつ者よ
続けわが真紅の旗に
反帝反スターリニズム
世界を翔《か》けよ

ウクライナよ

虐殺に憤怒の嗚咽《おえつ》切れずとも
挫けぬ決意おらぶ民々

廃墟てふ言葉で語るはなお軽し
地に埋まりしは万余のにんげん！
（マリウポリ）

凄絶な地獄となりき平原に
ひまわり畑の繚乱酷《むご》し

ひまわりの大地のうえを吹く烈風《かぜ》は
青人草の慟哭なるや

敵兵に「ひまわりの種を持て」と言ふ
ヘルソンの烈女《ひと》つよし逞し

空爆下キーウで花売る老婆あり、
その意気勁《つよ》し戦士のごと

厳冬にあまたインフラ破壊せし
露西鬼《ルースキー》に抗ふ薪を焚きゐて

払暁の夢にうつつに湧きいずる
ウクライナは死なず絶対死なずと

吾《あ》を賭して守りたるものそれは朋《とも》
煮えて滾《たぎ》るはパルチザンの血

暴虐の底にスターリン睨み射て
ウクライナにこそ＜反スタ＞芽吹け

許さん！ 軍拡増税 おばちゃんの怒り

新年そうそう、ウチら腹の立つことばっかしや。この狂乱物価ゆうたら、たこ焼きやお好み焼きの粉もん、油もマヨネーズも、電気代ガス代も、なんもかんもごっつい値上がりや。子どもらにアメちゃんも配られへん。じいちゃんばあちゃんの病院代かて上がるし、家計は火の車や。なのにお父ちゃんもウチも、賃金はちいとも上がらへん。生活ほんま苦しいやんか。

　なのになんやねん！　岸田いうたら、防衛費は大幅アップ、しかもそのゼニ、増税で庶民からぼったくるいうんや。東日本大震災の復興いうてとりたてた分を勝手に防衛費にするんはサギもいいとこやんか！たばこ税はミサイルに回すんで値上げやて。お父ちゃん、たばこはもうアカンでえ！　ったく、ウチらの生活、崖っぷちや。

　岸田のやつ、「反撃能力」いうて敵の基地ぶったたくためにトマホークやドローンをじゃんじゃん買《こ》うて、日本を「軍事大国」に一気につくりかえる気ぃやで。こんな大転換も「アンポ三文書」もぜぇんぶ閣議だけでどんどこ決めて、野党のへたれをいいことに改憲につきすすんどる。おまえら何してけつかんねん！

　こらーっ岸田ぁ、なにが「聞く力」や！　笑かすなよ。支持率のダダ落ちも、わてらのブーイングも、聞こえんふりしてやり放題や。おばちゃんパワーなめたらあかんで！　こういうアンポンタンには、ヒョウ柄の格闘着からくりだすおばちゃんの怒りでどついたるで。スクラム組んで、ワン、ツウ、パーンチ！　みーんなイテマエ！

二〇二三年 いろは歌留多

い　インダスの流れは絶えずして　しかしもとの量にあらず（パキスタン大洪水）

ろ　ロシア革命の魂　甦らせん！

ろ　ロボットだけが安定雇用（ファミレス）

は　橋ひとつ落ちて天下の秋を知る（クリミア大橋）

は　八波　無視無視無視（岸田）

は　バリ雑言（G20）

に　「二重の大逆流」で息も絶え絶え（志位）

に　ニセ母作戦（プーチン）

ほ　ホロドモールの怨霊「赤い闇」から起ちあがる

ほ　ポイントで釣り保険証で強制（マイナンバーカード）

へ　ヘイトもフェイクも「自由」のうち（イーロン・マスク）

と　ドーハの憤激(外国人労働者の犠牲)

ち　近くて遠い印・露の仲

り　リスキー&クビキリング

り　理事が働けば角川がこけ、カネに棹させばアオキ吐息

ぬ　♪沼にはまってサア大変（ロシア戦車隊）

ぬ　奴は主より偉し（ファウンドリーにすがるファブレス）

る　ルーラ・カムバック

を　女は強し、母の会はなお強し（プーチン弾劾）

わ　わが亡き後に騒動は来たり（安倍）

か　カタールに堕ちた欧州議会（汚職）

か　核の威を借るクマ（プーチン）

か　カザフ「好かん！」（ロシアにそっぽ）
よ　芳野クズ
た　タイワンの火事じゃない（岸田）
た　♪旅ゆけば～駿河の国で行き止まり
（リニア新幹線）
れ　レーニンを二度殺す（プターリン）
そ　袖スリあわぬ野党の縁（立民・日共）
つ　壺ではめる（統一協会）
ね　寝た子（躺平）を起こせ（白紙運動）
ね　ネタ公を起こしたイスラエル
な　奈良苦の底へ安倍ズドン
な　無い兵を振りあてる（少数民族に）
ら　ライシのドローンで民苦しむ
む　無理ナノ（中国の先端半導体製造）
む　♪昔の兵器で出ています（露軍）
む　無理が通れば安保理ひっこむ
う　ウソつきは大使の始まり
ゐ　居直り方便「撤回・謝罪」（水脈）
の　喉もと過ぎればフクシマ忘れる（稼働延長）
お　老いたる胡は従わず（二十全大会）
く　クルドを捨ててＮＡＴＯに加盟（スウェーデン）
や　♪止めろと言われても　♪どうにも
止まらない（日銀金融緩和）
や　闇から闇へ（神戸事件の証拠を隠滅）
ま　敗けるなアゾフここにあり
ま　待てど退路の日和なし（ロシア軍）
け　刑務所でリクルート（ワグネル）
ふ　吹けば飛ぶよな　走狗三匹
こ　♪胡さん　お肩を叩きましょう（習）
え　円安く　物高き秋（ゼロ金利のせい）
て　敵は党内にあり（トランプ×ペンス×デサンティス）
て　殿下の減産（サウジアラビア）
あ　虻蜂《あぶはち》トラス
あ　アゼルバイバイ（ロシア圏から離脱）
さ　蔡は投げられぬ（バイデン、岸田）

さ　佐渡金山はオケサほどにも支持されず（ユネスコ）

き　共存共苦！　ウクライナ人民と共に

き　強権有理　弾圧無罪（習近平）

ゆ　融通夢幻（暗号通貨）

め　目の前がマックロン（仏下院選大敗）

み　南太平洋はシマ模様（米中の綱引き）

し　爺の因果が孫に報い（信介と晋三）

し　死行錯露（敗勢のプーチン軍）

し　白紙に顔面蒼白（北京官僚）

ゑ　絵に描いた日の丸半導体

ひ　「飛行機よりも武器をくれ」（ゼレンスキーが亡命拒否）

ひ　ピョートルの威を借るプーチン

も　元マオ派、ソ連派になって今親中（フン・セン）

も　「儲かりまっかー？」「墓地墓地でんなあー」（夜逃げした納骨会社）

せ　「Z」の悪用許さぬ！（全学連）

す　進め！　革命の世紀を切り拓け

ん　億人のプロレタリアを鼓舞するウクライナ反戦の檄

次点編

い　意地とメンツでゼロコロナ（習近平）

い　イランことするな！（ドローン提供）

ろ　ローンでアフリカを縛る（一帯一路）

へ　米軍のたれ流し（フッ素化合物）

り　理事を見て森（喜朗）を見ず（東京地検）

る　ルーシ再興の幻夢潰えた

か　カネは口ほどに出さず（COP27の先進国）

お　驕れる習近平久しからず

く　君主あぶなくて近づけず（ショイグ／ゲラシモフ）

す　ズームの向こうはアバターもえくぼ

「戦争転変革命之圖」登場人物発言集

本号グラビア掲載「戦争転変革命之圖」の解題として、登場する人物の発言を掲載します。発言者をさがしてみましょう。

▼われらはコサック=自由人の子、スターリンの犯罪を決して忘れない！ プーチン・ロシアの侵略を打ち破り、四州とクリミアを取り戻すぞ！ ウクライナ労働者・人民は団結して戦うぞ。ウクライナに栄光あれ！

▼私はここにいる。必要なのは、武器だ！ 飛行機の席じゃない！〔「国民のしもべ」ゼレンスキー〕

▼プロボクシング世界ヘビー級チャンピオンだった私が、イラン製ドローンを叩き落として、市民を守る！〔キーウ市長クリチコ〕

▼ウォッカで死ぬのは無意味な死だが、ロシアのために死ぬのはイミある死だ。〔ピョートル大帝を気取るスターリンの末裔プーチン〕

▼一歩も後退してはならぬ。戦線離脱は、銃殺だ！〔スターリン〕

▼イコンの聖母子像で祝福したが、ピエタ（磔刑にされたイエスを抱く聖母像）にニセ母作戦を見ぬかれてしまったわい。〔ロシア正教会総主教キリル〕

▼負け戦の責任は、いつもオレだ、トホホ……。〔ロシア国防相ショイグ〕

▼命知らずと残虐なだけじゃ、ウクライナ人民の団結に勝てるわけがネェ。〔プリゴジンとカディロフ〕

▼ソ連の時代のようにオレたちを扱うな！〔カザフスタン大統領トカエフ、アルメニア首相パシニャンなどCSTO諸国権力者〕

▼制裁には賛成しない。おかげでガスも石油もたっぷり。自国ファースト万歳！〔ハンガリー大統領オルバン〕

▼プーチンともちつもたれつで安いガスを輸入しEU一番の経済成長をはたしたが、ノルド・ストリームがパーだ。おかげで薪割りに大忙し。これからどうしよう。〔ドイツ首相ショルツ〕

▼尊敬するムッソリーニに敬礼。後ろには盟友二人、プーチンのお友達。しんがりはフランスの同志。亡霊ですって？ 失礼な。〔イタリア首相メローニ〕

▼そろそろ停戦しないと、インフレと「左」右勢力に押されて政権がもたん。停戦交渉のテーブルは用意するぞ。〔フランス大統領マクロン〕

▼宴会がバレちまったがオレは先頭でウクライナを支援したんだ。本当は独仏伊とも、支援をやる気なかったんだぜ。〔イギリス元首相ジョンソン〕

▼就任早々、ストの洗礼か。クソッ！ 大富豪の娘を妻にもつオレに、物価高、低賃金に苦しむ労働者階級の気持ちがわかるわけないだろ。〔英首相スナク〕

▼NATOうらめしやー。欧州共通の家こそ幼稚なユートピアだった。〔ゴルバチョフ〕

▼トランプが、手を引く・金も出さないなんて言ってたもんだから、ずっと影が薄かったが、ようやく出番だ。〔NATO事務総長ストルテンベルグ〕

▼オレ様をコウモリとはなんだ。西と東を飛び回って稼いでるだけだ。そろそろ停戦しろよ。〔トルコ大統領エルドアン〕

▼戦雲がたなびいてきたわ。ウクライナはヨーロッパだからいいけど、クルドはダメよ。人道支援も、限度があるのよ。〔欧州委員会委員長フォン・デア・ライエン〕

▼暴れ熊とのつき合いすぎは、ちょっとやばいかも。ゼロコロナやめ。ゼロ共青団だ。北京の高架橋で、中国に皇帝はいらない、だと！　白紙デモも同時多発。こりゃやばい。〔習近平〕

▼人権人権とうるさいUSAより中国の方がいい。イスラエルとも手をつなごう。〔サウジ皇太子ムハンマド〕

▼ドローン大販売で協力するんだから、核開発協力よろしく。でも、ヘジャブ強制で火がついて、大親分の姪っ子まで反抗しやがる。足下がやばいなあ。〔イラン大統領ライシ〕

▼欧米の制裁のおかげで、ロシア産が安い。安く買って高く売る。八方美人は商売上手だ。〔インド首相モディ〕

▼民主主義対専制主義の闘いといってもなー。国内で民主主義がガタガタだ。「チップ4」の投げ縄で中国を締めつけてやれ。〔バイデン〕

▼立候補宣言でババを引いちまった。わがままも、そろそろ運の尽きかなー。〔トランプ〕

▼TSMC命。ウクライナのように戦わなくっちゃ。もっと武器を私にもちょうだい。〔台湾総統・蔡英文〕

▼どうだ「高軌道な御子様」の打ち上げに大成功だ！〔金正恩〕

▼安全保障は米国、経済は中国。この二股膏薬を抜け出すのは、難しいなー。〔韓国大統領・尹錫悦〕

▼安保政策の大転換、これでオレも名を残せるかも。なにやら背筋がぞくっとするな。市場に任せないのが新しい資本主義だ。フンドシを締め直して増税するぞ。〔岸田〕

▼すぐ任期も切れるし、わがなき後に、大恐慌よきたれだ。〔日銀・黒田〕

▼これだけ尽くしてるんだから、少しはおこぼれくださらない？　でないと、顔がたたないわ。〔「連合」芳野〕

▼リスキリング、じつは構造的賃下げなんだけど、うまく騙してくれたらね。〔経団連・十倉〕

▼共闘、共闘……。寒い！〔日共・志位〕

▼そして誰もいなくなった。〔スパイ一味〕

▼われら反スターリン主義革命的左翼、スターリンの末裔プーチンの侵略軍と戦うウクライナ人民とともにあり。「Ми розбимо російських військ!」われわれはロシア軍を粉砕する！

国際・国内の階級情勢と革命的左翼の闘いの記録（二〇二二年十月～十一月）

国際情勢

10・2　ウクライナ軍がドネツク州北部リマンを制圧

10・5　プーチンがザポリージャ原発を露政府管理下におく大統領令に署名

▽ＯＰＥＣプラスが日量200万バレルの減産を決定

10・7　**バイデン政権が民生用を含むあらゆる先端半導体の対中輸出規制強化の新措置を発表**

10・8　**クリミア橋で爆発、一部崩落。**露ＦＳＢが同件でロシア人、ウクライナ人ら計8人を拘束と発表。橋爆破を口実にして露軍がザポリージャ市の集合住宅をミサイル攻撃し17人死亡（9日）、露軍がキーウなどウクライナ全土の20都市以上をミサイル、イラン製ドローンで攻撃、死者20人以上（10日）

10・10　ベラルーシ大統領ルカシェンコが自国内での露軍との共同展開を合意と発表。露軍が到着（15日）

10・12　国連総会でロシアのウクライナ4州併合を違法で無効とする決議を賛成143で採択。棄権は中国・インドなど35ヵ国、反対は露・北朝鮮など5ヵ国のみ

▽バイデンが「国家安全保障戦略」を発表、中国を「唯一の競争相手で重大な地政学的な挑戦」と規定

▽中国共産党7中全会閉幕（9日～）、習近平の地位と党の指導の「二つを守る」と党規約に盛りこむ

▽**イランでヒジャブ着用女性の拘束死への抗議デモ拡大、弾圧で200人以上が死亡との報道**

10・15　露ベルゴロド州訓練場で動員兵が抗議の乱射

10・16　**中国共産党第20回大会開幕**（～22日）、**習近平が**

国内情勢

10・3　第210回臨時国会召集。首相・岸田が所信表明演説で物価高対策・日米同盟強化を強調

10・4　北朝鮮が弾道ミサイル発射、5年ぶりに日本上空を通過し太平洋に落下。対抗して航空自衛隊Ｆ15、Ｆ2と米軍Ｆ35Ｂの計12機が九州西方で共同訓練

▽政府が岸田の長男を政務担当の首相秘書官に

10・6　岸田が韓国大統領・尹錫悦と初の電話協議。北朝鮮のミサイルに日米韓で対抗と確認

▽警視総監に小島裕史が就任。先端技術に言及

10・7　8月の実質賃金が前年同月比1・7%減、5ヵ月連続で減少

▽衆議院議長・細田博之（清和会）が「補充説明」で統一協会の会合への出席を4件追加

10・11　政府が土地利用規制法にもとづく「特別注視区域」「注視区域」の候補58ヵ所を初提示

10・12　九州電力が川内原発1、2号機の運転期間20年延長を申請

▽国産ロケット「イプシロン」打ち上げに失敗

10・13　**デジタル相・河野太郎が健康保険証を24年秋に廃止しマイナンバーカードと一体化すると発表**

▽9月の国内企業物価指数が前年同月比9・7%上昇

10・17　岸田が統一協会について宗教法人法にも

革命的左翼の闘い

10・1　琉球大学学生会と沖縄国際大学学生自治会が辺野古新基地建設反対の「県民大行動」（オール沖縄会議主催）に決起。キャンプ・シュワブ第一ゲート前で労働者・人民750名の先頭でたたかう

▽全学連北海道地方共闘会議と反戦青年委員会が日米共同実動演習「レゾリュート・ドラゴン22」阻止の現地闘争（札幌市東区丘珠空港）。飛行訓練を開始した米軍オスプレイに怒りの拳

10・7　神戸大生の会と奈良女子大学学生自治会が憲法改悪・大軍拡阻止の自民党大阪府連前闘争（大阪市）。さらに京阪天満橋駅前で情宣

10・16、23　**全国各地で労学統一行動。ウクライナ侵略粉砕、改憲・大軍拡阻止を掲げて決起**

＜10・16＞　全学連と反戦青年委員会の首都圏の部隊がロシア・アメリカ両大使館、国会・首相官邸へ戦闘的デモで進撃

・沖縄県学連と県反戦労働者委員会が那覇市国際通りを席巻

・全学連関西共闘会議と反戦青年委が

台湾統一に「武力行使を決して放棄せず」と宣言。李克強ら共青団系を党指導部から追放、習の3期目続投決定。閉幕式で胡錦濤が抗議し腕をつかまれ退場

10・18 ウクライナの発電所30%が露軍により破壊され全土で大停電。国営電力会社ウクルエネルゴが全土で電力供給制限を開始したと発表（20日）

10・19 「併合」したウクライナ4州にプーチンが戒厳令

▽在韓米軍と韓国陸軍が合同渡河訓練を公開。朝鮮半島有事を想定した「護国訓練」（17〜28日）の一環

10・20 英首相トラスが富裕層の減税案を非難され辞任

10・22 イタリア新首相にムッソリーニ礼讃の極右「イタリアの同胞」党首メローニが就任

10・23 中共第20期中央委第1回総会で首相候補に李強、経済担当副首相候補に何立峰

▽露国防相ショイグが米英仏トルコの国防相とそれぞれ電話協議、ウクライナが「汚い爆弾」を準備と主張。国連に書簡を送る（24日）

10・24 英保守党党首選で元財務相スナク当選、首相に

10・27 プーチンが核使用について「露から言及したことはない」と核恫喝をとり下げ

▽米政府が「核戦力体制見直し」を発表、「核先制不使用」宣言は断念

▽欧州中央銀行が0・75%利上げ決定（通常の3倍）

10・28 露ショイグが予備役の部分的動員は完了したと発表、国内での抗議と青年の国外脱出に直面して

▽北朝鮮が弾道ミサイル発射実験、今年28回目

10・29 セバストポリの露海軍黒海艦隊がウクライナのドローン攻撃をうけたとして露がウクライナ産穀物輸出の四者合意の履行停止を発表。11月2日に復帰

とづく「質問権」を初行使し調査すると表明

10・19 岸田が宗教法人法にもとづく統一協会への解散命令の要件に民法の不法行為も入ると答弁。刑法違反のみとしていた前日の法解釈を1日で変更

▽東京地検特捜部が五輪大会組織委員会元理事・高橋治之を広告会社ＡＤＫからの受託収賄容疑で4回目の逮捕

10・20 「連合」が23春闘でベースアップ3%程度、定昇込み5%程度の賃上げ要求を決定

▽**神戸家裁が神戸事件で逮捕された元少年の全事件記録をすでに廃棄していたことが判明**

▽22年度上半期の貿易赤字が11兆75億円

10・21 円が1ドル＝151円台後半まで下落。政府・日銀が為替介入

▽9月の全国消費者物価指数が前年同月比3%上昇、31年ぶりの上昇率

10・22 訪豪した岸田が首相アルバニージーと会談。新たな「日豪安保共同宣言」に署名

10・24 岸田が統一協会との癒着が追及された経済再生相・山際大志郎を更迭

10・26 日米韓が外務次官協議。北朝鮮への抑止力強化、台湾海峡の「平和と安定」を確認

10・27 衆院憲法審査会が今国会で初開催。自・公・維新が緊急事態条項の議論を急げと主張

10・28 政府が物価高への対応を中心に事業規模71・6兆円の総合経済対策を臨時閣議で決定

▽日銀が大規模な金融緩和の維持を決定

▽政府が米国製巡航ミサイル「トマホーク」の

大阪市御堂筋を進撃

・全学連道共闘と反戦青年委が大通公園から札幌市街へ戦闘的デモ

＜10・23＞ 全学連東海地方共闘会議と名古屋地区反戦が名古屋市栄中心街を進撃

・全学連九州地方共闘会議と反戦青年委が福岡市天神で戦闘的デモ

10・21 琉大学生会と沖国大自治会が「国際反戦デー集会」（平和運動センター主催、那覇市）で奮闘、ウクライナ侵略粉砕を訴える

▽わが同盟が「国際反戦デー集会」（福岡原水禁など主催、福岡市）で情宣、ウクライナ反戦への決起を呼びかける

10・22 神戸大生の会と奈良女大自治会が「とめよう！ 戦争への道 関西のつどい」（同実行委主催、大阪市）に決起。プーチンの戦争粉砕を掲げ600名の先頭でデモ

10・29 鹿児島大学共通教育学生自治会が米軍無人機配備阻止の鹿屋基地前現地闘争に起つ。「県民鹿屋集会」（鹿児島に米軍はいらない県民の会主催）に結集した労働者とともに奮闘

11・3 首都圏のたたかう学生が「憲法大行動」（総がかり行動実行委など主催）に決起。国会を包囲する4200

10・30 ブラジル大統領選決選投票で左派ルラが勝利
10・31 米韓両軍が戦闘機など240機参加の大演習を開始（～11月5日）、韓国でF35B初展開。北朝鮮が米韓演習に対抗し弾道ミサイル発射や電磁パルス攻撃用弾頭の実験などを実施（11月2～5日）
11・2 ロシア鉄道が北朝鮮との貨物鉄道が再開と発表
▽米FRBが0・75％利上げ決定（4連続で大幅上げ）
11・3 イスラエル総選挙でネタニヤフ支持派が過半数
11・4 習近平と訪中した独首相ショルツが会談、習は「互恵関係」を、ショルツは「一段の市場開放」を要請
11・6 COP27開幕（～18日、エジプト）、途上国が被る「損失と損害」への対応に特化した新たな基金設立の合意のみで閉幕（2日延長し20日）
11・7 **ゼレンスキーが米欧から対露交渉を迫られて交渉開始の条件として5項目を提示（領土保全の回復、全損害賠償、戦争犯罪人の処罰など）**
11・8 **米議会中間選挙。開票の結果、上院で民主党が50議席確保し主導権を維持**（12日）。**下院で共和党が4年ぶりに過半数を獲得**（16日）
11・11 **ウクライナ軍がヘルソン市解放。露軍はヘルソン市から撤退、撤退前にテレビ局や電力施設を爆破**
11・14 米中首脳会談（インドネシア・バリ島、3年5ヵ月ぶり、バイデンと習は初）、「対話継続」を確認
▽国連総会で露のウクライナ侵攻の損害賠償求める決議。賛成94、棄権は印・南アなど73、反対は中・露ら14
11・15 **露軍がウクライナ11州で都市のエネルギー施設を最大規模、計90発のミサイル攻撃**
▽ポーランド東部プシェポドフにミサイルが着弾し2

購入を米政府に打診と各紙が報道
10・31 財務省が10月の外国為替介入額は6兆3499億円と発表、過去最大
11・2 北朝鮮が短距離ミサイルなど20発を黄海や日本海にむけ発射。3日にICBM発射。5日に短距離ミサイル4発発射、空自が米軍戦闘機などと九州西方で共同訓練（5日）
11・6 海上自衛隊が国際観艦式。韓国が参加、中国は招待を断る
11・8 第2次補正予算案28・9兆円を閣議決定、防衛関連は4464億円
▽9月実質賃金が1・3％減、6ヵ月連続減
▽日米豪印の共同演習「マラバール」開始
11・10 **台湾有事を想定した日米共同演習「キーン・ソード23」開始**（～19日）。南西諸島を中心にして日米両軍約3万6千人が参加
11・11 岸田が葉梨康弘を「法相は死刑のはんこを押すだけの役職」発言で法相更迭
▽トヨタ、NTTなど8社が次世代半導体の国産化にむけた新会社の設立を発表。経済産業省は新会社に700億円支援と発表
11・13 岸田が東アジア首脳会議（カンボジア）で中国を「東シナ海で主権侵害」と批判
▽バイデンが主導して日米韓の首脳会議
11・14 露首相が「サハリン1」新会社への日・印の出資承認指令に署名
11・17 日中首脳会談（バンコク）。岸田は「台湾海峡の平和と安定の重要性」を表明

名の労働者・人民に「反安保」の欠落した既成反対運動をのりこえたたかう方向をさししめす。わが同盟が情宣
▽神戸大生の会と奈良女大自治会が「おおさか総がかり集会」（同実行委主催、大阪市）に決起。反改憲・大軍拡阻止、ウクライナ反戦を訴え3000名とともにデモ
▽金沢大学共通教育学生自治会が「石川県憲法を守る会」主催の集会・デモに決起（金沢市）。改憲阻止、ウクライナ反戦を訴える。つづいて「憲法改悪NO！」集会（「市民アクションいしかわ」主催、同）に結集、参加者とともに大通りをデモ
▽わが同盟が「憲法フェスタin福岡」（9条の会福岡県連絡会主催、福岡市）で情宣、大軍拡阻止を訴える
11・5 琉大学生会と沖国大自治会が「県民大行動」（オール沖縄会議主催）に起つ。日米統合演習「キーン・ソード23」阻止、沖縄全島の軍事要塞化阻止を呼びかけキャンプ・シュワブ第一ゲート前で労働者・人民とともにたたかう
11・8―10 沖縄県学連が「キーン・ソード23」阻止の連続闘争に決起。8日、中城湾港（沖縄市、うるま市）からの陸上自衛隊車両陸揚げ阻止の実力闘争を敢行。9日、「平和を求める集会」

人死亡。米「最終的な責任は露にある」と声明（16日）
▽G20サミット（インドネシア・バリ島）開幕、プーチン欠席。首脳宣言は露の戦争を「強く非難」するとともに「異なる評価もあった」と付記（16日）
11・17 マクロンが露—ウクライナの停戦協議を提唱
11・18 **米NSC調整官カービーが「米はウクライナに停戦を呼びかけない」と表明**
▽**北朝鮮がICBM「火星17号」発射実験**。米軍戦略爆撃機B1Bが韓国軍と共同訓練で北朝鮮威嚇（19日）
11・19 APEC首脳会議がG20と同様の首脳宣言を採択し閉幕（18日〜、タイ・バンコク）
11・20 トルコ軍がシリア北部のクルド人勢力を空爆
▽カザフスタン大統領選、現職トカエフが圧勝
11・21 米副大統領ハリスが訪比、防衛協力強化を確認
▽台湾TSMCが米アリゾナで最先端半導体生産計画
11・22 中国河南省鄭州市のiPhone生産工場で労働者が「ゼロコロナ」策のもとでの賃金未払い・労働環境の劣悪に抗議行動（〜23日）。**新疆ウルムチで住宅火災を当局が放置し10人死亡、「ゼロコロナ」策に抗議拡大**（24日）。**上海、北京、武漢、成都など全国の都市・大学90ヵ所に拡大**（〜30日）
▽露ガスプロムがモルドバへの天然ガス供給削減
11・23 露軍がウクライナのエネルギー施設に70発のミサイル、全土で大停電。原発4ヵ所で外部電源喪失
▽アルメニアで開催の集団安全保障条約機構（CSTO）首脳会議でプーチンに非難集中、宣言なし
11・26 台湾統一地方選で蔡英文の与党・民進党が大敗
11・27 露兵の母親らがウクライナ撤退求め議会へ書簡

▽10月の貿易赤字が2兆円超
11・18 10月消費者物価指数が前年同月比3・6%上昇、40年ぶりの上昇率
▽改定公職選挙法が成立、衆院小選挙区を「10増10減」
11・19 空自が米戦略爆撃機B1Bと共同訓練
11・20 総務相・寺田稔を政治資金報告書の虚偽記載で岸田が更迭
11・22 「国力としての防衛力を総合的に考える有識者会議」が報告書。5年以内の防衛力の抜本的強化、産官学一体の軍事技術研究・開発体制の整備、増税などを提言
▽文部科学相・永岡桂子が統一協会に宗教法人法にもとづく「質問権」を行使
11・23 日米中など参加の拡大ASEAN国防相会議（カンボジア）。米・中が応酬
11・25 東京地検特捜部が五輪テスト大会入札談合疑惑で電通などを捜索。28日には博報堂も
▽森友疑獄の文書改ざん強制で自殺した財務省職員の妻の損害賠償請求を大阪地裁が棄却
11・28 **岸田が防衛省以外の省庁の国防関連経費も合わせて27年度の国防予算額をGDP比2%に達するように指示**
▽経産省が原子力政策に関する計画案。廃止原発の建て替え、最長60年の運転期間の延長可能などを盛りこむ
11・30 中露両軍の爆撃機4機が日本海上空を共同飛行したと防衛省が発表

（平和運動センター主催、那覇市）で主催者のデモ中止に抗し奮闘。10日、陸自那覇駐屯地ゲート前で抗議闘争
11・11 「秋季年末闘争勝利総決起集会」（「連合石川」主催、金沢市）で革命的・戦闘的労働者が奮闘。わが同盟が情宣
11・23 「原発とめろ！ 北海道学生連帯会議」の学生が、「幌延デー北海道集会」（幌延町、北海道平和運動フォーラム主催）に決起
11・30 全学連が中国大使館に緊急抗議闘争。習近平政権の人民弾圧に怒りの拳
▽全学連関共闘が中国総領事館（大阪市）に抗議闘争
▽首都圏のたたかう学生が「戦争させない・9条壊すな！」集会（総がかり行動実行委主催、日比谷野音）に結集、「安保3文書」閣議決定阻止・岸田ネオ・ファシズム政権打倒を訴える
〔黒田寛一著作集・第14巻『革命的マルクス主義運動の発展』をKK書房から10月に刊行〕

『新世紀』バックナンバー

No.322 2023年1月	No.321 2022年11月	No.320 2022年9月	No.319 2022年7月
大軍拡阻止、〈プーチンの戦争〉粉砕 断末魔プーチンのあがき／ウクライナ全土へのミサイル攻撃／SCOサミット／改憲・大軍拡阻止、ウクライナ反戦を／貧窮強制を許すな／安倍の「国葬」弾劾／プーチンの大ロシア主義／反革命＝北井一味を粉砕せよ（第四～六回）	**改憲阻止、ウクライナ反戦に起て** 安倍「国葬」を許すな／ウクライナ軍・人民の戦い／労働戦線から改憲阻止を／反戦集会の成功かちとる／国際反戦集会基調報告／海外の左翼からのアピール／半導体戦争／愛大での自治破壊粉砕の闘い／反革命＝北井一味を粉砕せよ	**全世界でウクライナ反戦の炎を** 熱核戦争勃発の危機／安保強化・改憲を打ち砕け／日米首脳会談の意味／海外へのアピール／自称「左翼」の錯乱を弾劾せよ／俗流トロツキスト批判／露共産党批判／「ネオナチ」というデマ／ロシア正教会／クラスター発生の職場	**〈プーチンの戦争〉を粉砕せよ** ウクライナ反戦、反改憲に起て／ウクライナの人々と話して／ホロドモール／大ロシア主義とのレーニンの闘争／年表ロシアのウクライナ侵略／沖縄軍事要塞化反対／「連合」批判／経労委報告批判／郵政・私鉄・自動車・電機・出版

新世紀　第323号（隔月刊）

日本革命的共産主義者同盟　革命的マルクス主義派　機関誌©

発行日　2023年2月10日

発行所　解放社

〒162-0041　東京都新宿区早稲田鶴巻町525-3

電話　03-3207-1261　振替　00190-6-742836

URL http://www.jrcl.org/

発売元　有限会社　KK書房

〒162-0041　東京都新宿区早稲田鶴巻町525-5-101

電話　03-5292-1210　振替　00180-7-146431

URL http://www.kk-shobo.co.jp/

ISBN 978-4-89989-323-3　C0030

落丁・乱丁本はおとりかえいたします。